Les Éditions du Boréal
4447, rue Saint-Denis
Montréal (Québec) H2J 2L2
www.editionsboreal.qc.ca

LES AURORES
MONTRÉALES

DU MÊME AUTEUR

Sans cœur et sans reproche, nouvelles, Québec/Amérique, 1983.

Le Sexe des étoiles, roman, Québec/Amérique, 1987.

Homme invisible à la fenêtre, roman, Boréal, 1993 ; coll. « Boréal compact », 2001.

Les Aurores montréales, nouvelles, Boréal, 1996 ; coll. « Boréal compact », 1997.

Le cœur est un muscle involontaire, roman, Boréal, 2002 ; coll. « Boréal compact », 2004.

Champagne, roman, Boréal, 2008 ; coll. « Boréal compact », 2017.

Ce qu'il reste de moi, roman, Boréal, 2015 ; coll. « Boréal compact », 2017.

Monique Proulx

LES AURORES
MONTRÉALES

nouvelles

Boréal

© Les Éditions du Boréal 1996 pour l'édition originale
© Les Éditions du Boréal 1997 pour la présente édition
Dépôt légal : 3e trimestre 1997
Bibliothèque et Archives nationales du Québec

Diffusion au Canada : Dimedia
Diffusion et distribution en Europe : Interforum

*Catalogage avant publication de Bibliothèque et Archives nationales du Québec
et de Bibliothèque et Archives Canada*

Proulx, Monique

   Les aurores montréales

   2e éd.

   (Boréal compact ; 85)

   ISBN 978-2-89052-874-1

   1. Titre.

PS8581.R688A97	1997	C843'.54	C97-941216-1
PS9581.R688A97	1997		
PQ3919.2.P76A97	1997		

ISBN PAPIER 978-2-89052-874-1

ISBN PDF 978-2-7646-1301-6

ISBN EPUB 978-2-7646-1302-3

GRIS ET BLANC

Je t'écris, Manu, même si tu ne sais pas lire. J'espère que ta vie se porte à merveille et que les rochers de Puerto Quepos se dressent fièrement quand tu nages dans la mer. Nous sommes installés, maintenant. Nous avons un sofa, un matelas neuf, deux tables, quatre chaises droites presque de la même couleur et un réfrigérateur merveilleux qui pourrait contenir des tortillas en grand nombre. Je dors sur le sofa, à côté du réfrigérateur merveilleux. Tout va bien, je me réveille souvent parce que le réfrigérateur ronfle, mais le chemin vers la richesse est rempli de bruits qui n'effraient pas l'oreille du brave. De l'autre côté de la fenêtre, il y a beaucoup d'asphalte et de maisons grises. On voit des autos qui passent sans arrêt et ce ne sont jamais les mêmes, Manu, je te le dis sans me vanter.

Ça s'appelle Montréal. C'est un endroit nordique et extrêmement civilisé. Toutes les autos s'arrêtent à tous les feux rouges et les rires sont interdits passé certaines heures. Il y a très peu de guardias et très peu de chiens. Le mot « nordique » veut dire qu'il fait froid comme tu ne peux pas imaginer même si c'est seulement novembre. En ce moment, j'ai trois chandails en laine de Montréal sur le dos, et mamà se réchauffe devant la porte ouverte du four qui appartient au poêle qui est grand et merveilleux, lui aussi. Mais on s'habituera, c'est sûr, le chemin vers la richesse est un chemin froid.

Ce ne sera pas encore ce mois-ci que tu pourras venir, mais ne désespère pas. Je fais tous les soirs le geste de te caresser la tête avant de m'endormir, ça m'aide à rêver de toi. Je rêve qu'on attrape des lézards ensemble et que tu cours plus vite que moi sur la grève de Tarmentas et que la mer fait un grondement terrible qui me réveille, mais c'est le réfrigérateur.

Il y a une mer ici aussi, j'y suis allé une fois en compagnie de mon ami Jorge et c'est très différent. La mer de Montréal est grise et tellement moderne qu'elle ne sent pas les choses vivantes. J'ai parlé de toi à Jorge, je t'ai grossi d'une dizaine de kilos pour qu'il se montre plus admiratif.

Voici comment se passent mes journées ordinaires. Il y a des moments comme se lever, manger et dormir, qui reviennent souvent et qui partent vite. Il y a les deux épiceries de la rue Mont-Royal, M. Dromann et M. Paloz, qui m'engagent pour faire des livraisons. Je sais déjà plein de mots anglais, comme fast, fast. Le reste du temps, je suis à l'école, c'est une grande école grise avec une cour en asphalte grise et un seul arbre que j'ai à moitié cassé quand j'ai grimpé dessus. Les moments d'école sont les pires, bien entendu, j'essaie de retenir seulement les choses qui peuvent servir plus tard.

Le dimanche, avec Jorge, on fume des cigarettes et on marche, on marche. On peut marcher extrêmement longtemps, à Montréal, sans jamais voir d'horizon. Une fois, comme ça, en cherchant l'horizon, on s'est perdus et la guardia civile *nous a ramenés très gentiment à la maison dans une auto neuve et j'ai pensé à toi, mon vieux Manu, qui aime tellement courir après les autos neuves pour faire peur aux touristes.*

Je ne veux pas que tu croies que la vie n'est pas bonne ici, ce ne serait pas vrai complètement, il y a des tas de choses que je vois pour la première fois, et l'odeur de la richesse commence même à s'infiltrer dans notre pièce et demie. Hier, nous avons mangé des morceaux de bœuf énormes, Manu, et d'une tendreté comme il n'y en a pas à Puerto Quepos, je t'en envoie un échantillon bien enveloppé. Ce qui me dérange le plus, car je ne veux pas te mentir, c'est le côté nordique de la ville, et le gris, qui est la couleur nationale. Mamà, elle, est surtout dérangée par les toilettes des magasins, c'est là qu'elle travaille et qu'on la paie pour nettoyer. Si tu voyais ces magasins, Manu, ils ont des magasins que tu dirais des villages en plus civilisé et en plus garni, tu peux marcher des heures dedans sans avoir le temps de regarder tous les objets merveilleux que nous nous achèterons une fois rendus plus loin dans le chemin vers la richesse.

Mais la chose de ce soir, la chose dont il faut que je te parle. Mamà nettoyait le réfrigérateur et par hasard elle s'est tournée vers la fenêtre. C'est elle qui l'a aperçue la première. Elle a poussé un cri qui m'a fait approcher tout de suite. Nous sommes restés tous les deux longtemps à regarder dehors en riant comme des êtres sans cervelle.

La beauté, Manu. La beauté blanche qui tombait à plein ciel, absolument blanche partout où c'était gris. Ah, dure assez longtemps, Manu, fais durer ta vie de chien jusqu'à ce que je puisse te faire venir ici, avec moi, pour jouer dans la neige.

LE PASSAGE

Voici donc ce qu'était sa chambre, une fois débarrassée des ornements qui en maquillaient la vraie nature : une misérable taupinière, une cage à volatiles. Tout était petit et laid, le tapis sur lequel des colonies de mites affamées semblaient s'être abattues, le rose fadasse des murs, les meubles en pin d'une insignifiante simplicité, et le store, ô horreur !, en papier glacé qu'on aurait dit trempé dans le sang — qu'elle avait pourtant choisi elle-même, des siècles auparavant. Trois mois, en fait. L'inimaginable, c'était de penser qu'elle avait vécu des années dans cet endroit sinistre, ankylosée dans la stupidité de l'enfance. Mais c'était fini, maintenant. Plus jamais elle ne dormirait seule sur un futon étroit comme un grabat de gynécologue, plus jamais elle n'apercevrait par la fenêtre le maigre catalpa dont son père consolidait les maigres ramures avec des bas de nylon.

Gaby s'assit par terre et extirpa son journal de dessous le tapis. Après plusieurs tentatives infructueuses, c'était finalement la seule cachette qui avait déjoué la sollicitude étouffante de sa mère. Elle ouvrit le petit cahier noir au hasard : « 21 novembre 1991. Pierre Valiquette ne m'a pas regardée aujourd'hui au cours de bio. Je suis trop grosse. La vie est laide. Trouver ce soir un moyen de me suicider avec beaucoup de sang. » Enfantillages que cela. Elle tourna quelques pages. Voilà qui était plus amusant. « Le directeur m'a fait venir dans son bureau, a verrouillé la porte, a descendu ses culottes et m'a fait faire des choses que je ne peux même pas te confier ici, cher Journal. » Il ne s'agissait évidemment là que d'un stratagème destiné à confondre l'indiscrétion de sa mère, le pauvre directeur de la polyvalente, ascétique et timide, ne s'enhardissant à regarder les filles qu'au-dessus de la tête, comme pour y déceler leur auréole de sainteté. Le stratagème avait réussi au-delà de toute espérance. Gaby revoyait la scène avec délectation, ses parents aux abois, anéantis par le stupre et la perversion qui menaçaient leur fille unique, et contraints bientôt de reconnaître qu'ils violaient régulièrement son intimité en fouinant dans son journal.

Gaby frotta une allumette et l'approcha du cahier d'un geste théâtral. Là où elle allait, il n'y avait plus de place pour des radotages d'écolières, il fallait brûler ces morceaux de passé terne. Et tant qu'à faire, elle joignit à l'autodafé le poster de Michael Jackson qui surplombait son lit depuis deux ans.

— Ça sent le feu, Gabrielle, gémit sa mère, de l'autre côté de la porte.

Ils faisaient mine, tous les deux, de s'activer dans la cuisine, elle, bien sûr, le nez immergé dans des casseroles d'où s'exhalait une odeur fade de poireaux et de foie, lui, terrassé par une attaque de propreté aussi subite que suspecte, les deux mains occupées à chasser de la nappe des miettes invisibles.

— Bon, annonça Gaby en toussotant.

Son sac de voyage était lourd, elle le posa près d'elle le temps qu'ils disent quelque chose — « Au revoir », ou « Salope », ou « Mais qu'est-ce qu'on t'a fait pour l'amour du bon Dieu ! » —, nombre de scénarios étaient envisageables, il suffisait de rester calme. Par la fenêtre, elle pouvait apercevoir la vieille Renault garée contre le trottoir et le bras mince de David échoué posément sur le volant.

— Tu ne vas pas manger un peu, au moins? hasarda finalement sa mère sans la regarder.

— Non, dit Gaby.

— Non MERCI! corrigea aussitôt son père, la voix mauvaise.

Il n'avait pas cessé, tout ce temps, d'épousseter férocement la nappe — «Ma parole, se dit Gaby, il va se fouler le poignet», et elle sentit, consternée, un épouvantable fou rire grelotter dans sa gorge. Elle ne les prenait pourtant pas par surprise, depuis deux mois ils connaissaient son imminent déménagement pour Montréal, et la semaine précédente, lorsqu'ils avaient assisté au transbordement de ses effets personnels, tout ce qui pouvait être dit d'âpre et d'inutile avait été dit. Ne restait de leur part que cet entêtement puéril à vouloir endiguer le cours normal des choses, à se placer dérisoirement sur le chemin fou du torrent qui déferle.

— Et pas de job, grinça son père. Pas l'ombre d'une job en vue.

— Mon Dieu, mon Dieu, soupira sa mère. Avez-vous le chauffage, toujours, à l'appartement?

— Un petit cégep tout nu tout sec. Et ça se pense plus fine que les autres.

— Avez-vous un réfrigérateur? Avez-vous au moins quelque chose à manger?

— Je vois ça d'ici. Des partys, de la foire, pis du chômage. Y a des millions de chômeurs à Montréal qui ont des diplômes épais comme ça, pis toi, pauvre innocente…

Gaby attendait sans impatience, le regard chevillé au bras de David qui reposait toujours sur le volant, apaisant comme une montagne. Ils se montraient même incapables, ultimement, de dire les choses importantes, celles qu'elle devinait, pourtant, tassées derrière le sec de leurs gestes, «Gabrielle, on t'aime, on va s'ennuyer de toi», ils s'enferraient dans cet orgueil rapetissant qui avait été leur marque de commerce, oh qu'elle ne serait jamais comme eux.

— Même pas majeure, te rends-tu compte, je pourrais t'empêcher, t'obliger, te forcer à…

— Quoi donc, papa? dit calmement Gaby.

Elle le regardait dans les yeux comme elle savait le faire, ni défi, ni arrogance, une façon nette de déclarer : Je suis moi, c'est à moi que tu parles, et son père acheva sa phrase dans un grommellement. La vérité, c'est qu'elle se savait depuis toujours plus forte qu'eux, et plus brillante, et qu'ils le savaient aussi, ce qui était la limite du tolérable. Son père s'en fut dans le salon sans ajouter un mot. Sa mère continua un instant de malmener les poireaux dans la casserole. Lorsque Gaby s'approcha pour l'embrasser, elle ne lui tendit qu'une moitié de joue raidie par la tension.

Dehors, la liberté avait la couleur de la fin d'après-midi et l'odeur pelucheuse des bancs de la vieille Renault. David saisit le sac de Gaby en souriant.

— Et puis? s'enquit-il.

— Rien. Allons-nous-en.

Elle vit sa mère, les épaules un peu voûtées, qui se collait à la fenêtre, qui lui faisait de la main un geste gauche, un salut de petite fille. L'idée que ses parents étaient vieux et qu'ils allaient mourir un jour lui apparut tout à coup avec une netteté insupportable. Elle se pencha à son tour par la portière pour crier quelque chose, pour agiter la main, mais sa mère avait disparu.

David avait eu beau repeindre en blanc le petit quatre et demie de la rue de Lorimier, il n'était pas parvenu à faire oublier qu'il s'agissait d'un sous-sol. Un individu né et abandonné là par inadvertance aurait pu ignorer toute sa vie qu'il vivait sur une planète éclairée. Gaby, cependant, promenait dans l'appartement le regard triomphant d'une propriétaire. Tout cela était à elle, ce terrain intact sur lequel elle laisserait ses propres marques, comme un chat imprimerait son odeur — et celle de David, bien sûr, quoiqu'elle voyait déjà en David une sorte de ramification harmonieuse d'elle-même. Il faudrait abattre cette cloison-ci qui rompait trop brusquement la circularité du salon, suspendre pour l'atmosphère des gueules-de-loup sous quelques lampes infrarouges qui leur tiendraient lieu de soleil, disséminer des lumières tamisées aux angles névralgiques des pièces, acheter des poissons exotiques aux noms imprononçables qui mangent de la viande crue, elle en avait vu au magasin d'animaux du coin et ils étaient de toute beauté. David l'écoutait parler, opinait de la tête, avec aux lèvres ce plissement qui avait séduit Gaby, la première fois, et qui continuait d'émouvoir en elle tout un faisceau de langueurs. Il était doux, totalement, comme d'autres sont ambitieux ou végétariens. Il avait six ans de plus que Gaby, pas un sou en poche, et concentrait la majeure partie de son intelligence acharnée sur des études en sciences politiques qui le mèneraient vraisemblablement tout droit aux prestations du Bien-Être social, mais il faut bien essayer de croire en quelque chose.

Comme ils poussaient l'investigation critique jusqu'à la chambre, Gaby, talonnée par la chaleur de David, se retourna brusquement vers lui et, ronronnante, l'attira sur le lit. Pourquoi ne lui avait-on jamais parlé de ce fabuleux délire des sens, du plaisir majuscule que prodigue le corps, belle bête de course, enfin abandonné à lui-même? Au nom de quelle hypocrite vertu taisait-on cette chose prodigieuse? Et tandis qu'ils s'entremêlaient sans fin, s'enchevêtraient l'un dans l'autre, galvanisés par le désir, Gaby observa son reflet dans l'étain de la lampe : une tête sauvage et noire de corsaire, avec, au front, cette mèche rose provocante qu'elle avait conservée au-delà de la mode punk, mais surtout une expression dans le visage qu'elle ne se connaissait pas, rageuse à force d'être passionnée.

*   *   *

David alluma la chandelle. La table était bancale, taillée dans un contreplaqué raboteux, la nappe de dentelle tavelée de trous, et les fleurs que David avait achetées le matin pendouillaient, navrées, hors de leur vase puisqu'il avait oublié d'y mettre de l'eau. Ce fut un beau repas.

— Commençons par le dessert, proposa Gaby.

— Pourquoi?

— Parce que ça ne se fait pas.

Ça se fit. Ils mangèrent les trois quarts d'une tarte au sucre arrosée d'un mousseux qui goûtait la térébenthine et puis, suspendus entre la nausée et le fou rire extatique, ils laissèrent brûler la chandelle en se tenant les mains. «Mon amour, mon amour de ma vie», disait Gaby, et David, qui n'était pas porté sur les déclarations, se contentait de sourire, lui broyait les phalanges, et une petite voix intérieure, un élancement de lucidité, susurrait en même temps à Gaby qu'il y en aurait d'autres, plein d'autres qui l'aimeraient comme lui, d'autres étapes, et d'autres hommes, et tout ce voyage effroyablement long à venir.

— T'as l'air triste, tout à coup.

— Mais non.

Ils se couchèrent.

En général, Gaby n'aimait pas la nuit, qui le lui rendait bien. Cette nuit-ci, cependant, ne pouvait être semblable aux autres, puisque Gaby franchissait définitivement le cap du fade célibat, elle avait, ô merveille, son amant licitement pressé contre son flanc tiède et qui dormait déjà, le bienheureux, dans un ronflotement de baryton. David avait passé son bras sous sa nuque à elle; leurs deux chaleurs se mêlaient et se multipliaient. Ce devait être ça, le bonheur, ou tout au moins le sommeil. Gaby l'observa un moment, du coin de l'œil parce qu'elle était à demi immobilisée par son étreinte. Il l'aimait, certes, mais ne pouvait-il pas l'aimer d'un peu plus loin? Elle déplia le bras anguleux de David et entreprit, sournoisement, de ramper vers la gauche. David la suivit aussitôt, comme magnétisé par un aimant, et Gaby se retrouva acculée à la bordure du lit, entre le torride de leurs corps et le béant du vide. Elle ne s'endormit qu'à l'aube, après avoir choisi mentalement le lit gigantesque qu'elle achèterait avec la première paye de l'emploi qu'elle ne manquerait pas de se trouver, le lendemain.

*   *   *

Il y en avait bien une quinzaine d'assis, déjà, tellement raides à force d'être nerveux et de ne pas vouloir le montrer qu'ils se confondaient avec leur chaise. Gaby traversa la salle d'attente sous le regard amorphe de tout ce beau monde, s'approcha d'un blondinet à lunettes, derrière un bureau, voulut lui poser une question, mais le blondinet lui désigna l'horloge sur le mur avec un air de désapprobation affligée, puis la salle d'attente avec un sourire de rayonnante cordialité. Gaby comprit du premier coup et, impressionnée par l'efficacité de la communication non verbale, elle alla s'asseoir parmi les chaises et leurs occupants. La plupart des gens échoués là dans l'espérance que la manne céleste leur tomberait dessus sous la forme d'un travail rémunéré étaient plus vieux que Gaby, à deux ou trois exceptions près. Gaby tenta un rapprochement avec la fille assise à côté d'elle, une petite rousse de vingt ans à peine, aux yeux légèrement exorbités et dont le genou sautillait en cadence avec la respiration. La petite rousse, stupéfaite qu'on lui adresse la parole, lui lança un regard farouche que Gaby interpréta comme un avertissement : personne ne parlait, mieux valait donc se taire. Peut-être même était-on puni si on ne semblait pas pétrifié d'angoisse en attendant la sainte convocation.

Les employés, pendant ce temps, accoudés sur les demicloisons qui séparaient leurs bureaux, échangeaient des recettes de gâteaux et des commentaires sur les émissions de télé de la veille, dans une atmosphère de guillerette camaraderie que la meute d'indigents englués sur leurs chaises droites ne pouvait qu'envier. Puis il fut huit heures trente, puis huit heures trente-cinq, et les fonctionnaires, peu à peu, se remirent à fonctionner, et la première et fortunée personne, qui n'était ni Gaby ni la petite rousse, fut convoquée par un agent de placement.

Deux heures plus tard, Gaby se disait qu'il y avait là maldonne, ou mépris flagrant, on l'avait pourtant convoquée à huit heures trente précises, et voilà que des foules et des multitudes étaient passées avant elle, et il en arrivait toujours d'autres, sorte d'invasion endémique de sauterelles. Les nécessiteux, décidément, pullulaient dans cette ville. On lui fit savoir, après la pause café, qu'elle était la prochaine sur la liste.

À onze heures quarante-cinq, Gaby, hébétée et morfondue par l'attente, rencontra l'agent qui avait été affecté de toute éternité à son dossier. C'était une femme, qui s'appelait Raymonde Bernatchez-Lizotte : une plaquette de mélamine, destinée sans doute aux incrédules, en témoignait sur son bureau. Sur ce bureau, il y avait par ailleurs la photo d'un bébé qui devait être le sien — même regard bigle —, un calendrier de chats persans, un grand cendrier en forme de chat, un presse-papiers-chat en bronze, une couple de fleurs artificielles vraisemblablement faites en poils de chat et le dossier de Gaby. Raymonde prit le temps de le consulter scrupuleusement, de l'apprendre par cœur, peut-être — il n'avait qu'une mince page —, avant de s'intéresser à la personne physique de Gaby.

— Vous avez un diplôme d'études collégiales en communication, résuma-t-elle avec une espèce de découragement.

— Oui, dit Gaby.

— Quel âge avez-vous ?

— Dix-sept ans.

— Pourquoi as-tu déménagé à Montréal ? Quelle sorte d'emploi souhaites-tu postuler ?

Gaby nota, sans n'en rien laisser paraître, qu'elle venait de chuter d'un cran dans la considération universelle. Ce passage du « vous » au « tu », déchéance implacable, lui était sans doute mérité par son âge : après tout, rien ne prouve encore, scientifiquement, qu'un individu de dix-sept ans, à peine pubère, soit tout à fait humain. Elle réitéra, de sa voix la mieux campée, ce qui était déjà inscrit en toutes lettres dans son dossier, à savoir que toute fonction relevant des relations publiques, de la rédaction, des communications médiatiques, radio-télé-ordinateur, pouvait l'intéresser, et que, par ailleurs, elle était fort douée pour l'organisation en tous genres. Raymonde émit un gloussement, court et sarcastique.

— Il faut être réaliste, dit-elle.

En termes succincts, cela signifiait que les aspirations professionnelles de Gaby, pour louables qu'elles fussent, présentaient autant d'intérêt et de pertinence que les rêvasseries d'un ver solitaire. Dans quel mégalomane délire était-elle tombée pour imaginer, primo, qu'il existait de par le vaste monde des emplois idylliques tels que ceux qu'elle décrivait, secundo, que le cas échéant, elle, pauvre avortonne tout juste éclose du magma collégial, possédait la compétence voulue pour les occuper ?

— À ta place, conclut fraternellement Raymonde en regardant sa montre, je poursuivrais mes études.

Bien sûr qu'elle les poursuivrait, plus tard, dans un avenir nébuleux qui ne concernait pas Raymonde Bernatchez-Lizotte, agente en placement et main-d'œuvre diverse et visiblement fière de l'être. Mais, en attendant, était-ce un crime d'avoir envie, quelquefois, d'acheter des huîtres en saison et de connaître des spectacles payants autre chose que ce que les journaux en racontaient ?

— Les temps sont durs, bien sûr. Regarde sur le babillard, il y a quelques petites choses, du baby-sitting, un poste de vendeur de souliers, aussi, je crois, mais il y a déjà beaucoup de candidats. On t'appellera, si on a du nouveau.

C'était tout. C'était monstrueusement tout, elle se levait, tendait à Gaby une main inconsistante, la survolait de son regard bigle, la lâchait dans l'arène, plus vide et plus flouée qu'avant, bonne chance, adieu, va voir ailleurs si tu y es.

Il n'y avait plus personne dans la salle d'attente. Gaby éplucha tous les babillards, sans rien espérer, pour toucher le fond de la peur molle qu'elle commençait à sentir bouger dans son ventre. Et si l'univers, clos comme une pomme, ne lui faisait pas de place, jamais, nulle part ? Et si elle n'était qu'une parmi tant d'autres, naïve et née trop tard, condamnée au tarissement irrémédiable de ses dons, à l'anonyme médiocrité? Elle s'arrêta soudain sur une annonce intercalée entre deux emplois de chauffeur de camion: RELATIONNISTE DEMANDÉ(E) POUR PETITE COMPAGNIE CINÉMA. Bien sûr, on exigeait un baccalauréat et trois années d'expérience; de plus, l'offre se terminait la veille. Gaby, fataliste, s'apprêta à quitter la pièce. Puis, elle revint sur ses pas, arracha la petite annonce du babillard. Après tout, les vers parviennent fort bien à s'introduire dans les pommes, aussi closes soient-elles.

* * *

L'immeuble était bas sur pattes, encrassé par des siècles de poussière. Sans qu'on ne lui demande rien, Gaby se faufila jusqu'au dernier étage, où la compagnie de cinéma occupait trois ou quatre locaux chétifs. Une fille qui disparaissait sous les paperasses lui jeta un regard embrumé.

— Qui s'occupe du nouveau poste de relationniste? demanda Gaby, sans aménité préalable.

— Jean, grommela distraitement la fille en bougeant une main vague vers le fond du corridor.

Gaby frappa à peine, entra, referma la porte.

— Je viens pour le poste, fit une voix, au-dedans d'elle, qu'elle ne connaissait pas. C'est moi que vous devez engager.

L'homme se déplia au-dessus de son bureau, froid comme une imprécation.

— Je ne sais pas qui vous êtes, dit-il, mais veuillez sortir immédiatement.

*   *   *

Lorsque David revint de l'université, à la fin de la journée, il trouva le salon plongé dans la pénombre et Gaby, les yeux tranquillement ouverts, qui regardait le plafond. Il s'approcha pour l'embrasser.

— J'ai trouvé un emploi, lui dit Gaby avec un sourire placide. Je commence lundi.

Quoi, que racontait-elle, comment avait-elle fait, et dans une compagnie de cinéma par-dessus le marché, avait-elle prévenu ses parents, fait sonner les trompettes de la victoire, acheté du champagne ? Gaby sortit prendre l'air, pendant que David, délirant de fierté, osait téléphoner à ses parents à elle, de qui il supportait difficilement l'ostracisme.

L'été était tardif, il traînait dans le ciel des nuages plombés qui crevaient à tout moment. Au milieu de la rue, deux petites filles jouaient au ballon en se criant, pour rire, des injures épouvantables. Comme la vie semblait prévisible, tout à coup, un jeu pour sous-doués, parfaitement décodable. Elle n'avait eu, finalement, qu'à perpétuer de vieux gestes, enlever sa chemise et sa jupe avec ce regard très précis, une misérable question de minutes, au fond, quelle importance. Il n'avait pas protesté longtemps.

Et tandis que les petites filles, oisillonnes hystériques et fragiles, dévalaient le trottoir et s'éloignaient, Gaby sentit tout ce qu'il restait de son enfance s'en aller avec elles.

JOUER AVEC UN CHAT

Il marche sous l'escorte du soleil, des femmes lui sourient, il sourit à des enfants, chaque foulée le lance dans une nouvelle aventure peuplée de personnages passionnants. Il sera heureux, ici. Ici, il est au cœur d'un jardin luxuriant où les gens se cueillent comme des fruits. Tout à l'heure il a bu des espressos avec un Italien, de la retsina avec un Grec, il a des frères inconnus partout qui ne demandent qu'à pleurer et à rire avec lui. Il marche dans l'amour du genre humain et de Montréal, et quand il porte son regard vers l'impressionnante mâture du Stade, il se sent protégé et accueilli comme par un clocher de village. La Petite habite là, quelque part à proximité du Jardin botanique. Ce soir il lui téléphonera, il entend déjà avec délectation son silence ébahi lorsqu'il dira : C'est moi, c'est Pierrot.

En haut des escaliers en colimaçon, rue Saint-Hubert coin Marie-Anne, c'est chez lui depuis deux jours, mais c'est déjà le gîte séculaire où son avenir est en train de s'édifier, et il y monte, allègre, il salue si cordialement la vieille dame qui secoue des torchons sur le balcon voisin qu'il lui arrache un sourire désarçonné.

La chatte somnole au milieu du salon ensoleillé, vieille Bouddha ruminant ses vies antérieures. Elle entrouvre les yeux et deux faisceaux d'un vert éblouissant consentent à balayer les déplacements de Pierrot. Il dit quelques mots seulement, « Hello, GrosseChose… », et elle est tout de suite debout malgré sa corpulence, sur les pieds de Pierrot cent fois elle vient rouler avec une humilité adorable sa tête de petite lionne. Puis elle le mordille et parfois elle le griffe, pour le punir du temps qu'il l'a laissée seule ou du temps qu'il fait dehors, et après, elle le lèche en ronronnant comme un quatre cylindres enroué, car il est à elle, son jeu à elle enfin récupéré.

Entre eux il s'agit d'une vieille histoire que la séduction excite encore. La chatte, bien sûr, est celle qui séduit, puisque depuis toujours c'est l'affaire des chats d'apprivoiser les hommes. Et de les retenir, faisant alterner stratégiquement les avancées brûlantes et les retraits de glace. Cela fonctionne, cela s'appelle l'art de l'amour et de la guerre, que les chats pratiquent avec plus de virtuosité que les femmes. D'ailleurs, depuis treize ans, Pierrot a changé plusieurs fois de femmes, mais n'a jamais changé de chat.

Le monde du dehors regorge de trésors et d'odeurs affolantes qui finissent tôt ou tard par rejoindre l'intérieur. Aujourd'hui, GrosseChose renifle avec intérêt ce que Pierrot a rapporté de son absence — un chat en peluche pour la Petite, enveloppé dans du papier de soie pour elle… —, mais elle abandonne tout sans rien dépecer et retourne à son sommeil de pharaonne, plus imprévisible aussi qu'une femme.

Pierrot s'assoit et boit une bière, face à la fenêtre et au paysage d'escaliers tournants qui s'enfonce dans le crépuscule, puis il mange, seul comme on est deux, sans manque aucun. Il regarde dormir sa chatte et il pense aux femmes, à quelques-unes des femmes dont il s'est approché. Il serait agréable de vivre avec les femmes, elles ont la douceur, la beauté totale du monde, mais voilà, elles aiment l'inquiétude, elles la chérissent tant qu'elles lui inventent sans cesse des raisons d'exister. L'inquiétude attire les reproches qui éloignent l'amour, l'inquiétude fronce de rides les passions les plus jeunes. M'aimes-tu encore, à quoi tu penses, pourquoi tu ne téléphones pas, les pauvres questions de l'inquiétude créent, à partir de rien, des monstres qui deviennent réels.

Entre toutes les voltiges possibles, toutes les voies aériennes, les femmes choisissent fatidiquement la pesanteur.

Pierrot pense à la Petite, et sa main d'elle-même s'approche du téléphone. C'est pour elle qu'il a décidé de s'installer à Montréal, mais il aurait déménagé ailleurs ou n'aurait pas déménagé avec une indifférence égale, un enthousiasme similaire. Les endroits ne sont pas importants, il n'y a que la chaleur humaine qui compte, et le sentiment d'avancer même en restant sur place.

La Petite ne lui raccrochera pas au nez, sa mère l'a assuré. Elle s'achemine vers une certaine paix, sa mère l'a assuré, grâce à son thérapeute et à son groupe d'entraide. Que risque-t-il d'inaffrontable ? Il lui arrachera un sourire à travers les barbelés qu'elle s'obstine à ériger entre eux, c'est ce qu'il a toujours su faire de mieux, écarter les barbelés des autres pour leur donner du plaisir.

À la quatrième sonnerie du téléphone, la voix de la Petite surgit à regret, essoufflée, méfiante. « Allô ?... » dit-elle, comme elle dirait : « Que diable me voulez-vous ? » Et là, tout à coup, une chose imprévue empêche Pierrot de parler, un fleuve d'images charrié par la petite voix revêche de la Petite vient noyer dans l'émotion ce qui ne devait être que du rire et de la facilité. La Petite répète : « Allô ? » et instantanément devine qui se tait au bout du fil : « C'est toi, dit-elle. C'est toi, Pierrot ?... » Il parvient à rire, pour que son silence se travestisse en jeu. « Comment le sais-tu ? blague-t-il. Comment sais-

25

tu que ce n'est pas ton amant qui téléphone?... » La Petite ne sourit même pas. « Je n'ai pas d'amant, dit-elle. Et puis ça fait deux jours que j'attends ton appel. »

La Petite a vingt-cinq ans, ce qui lui en fait à lui quarante-sept. La Petite a cent ans, et depuis toujours un œil de vieillarde qui a trop vu les dessous de la vie pour en admirer encore les reflets chatoyants. Il est périlleux d'entreprendre des conversations badines avec les êtres de sa trempe, mais Pierrot nourrit peu de craintes dans la vie. Il s'élance, bientôt il parle, et n'importe quoi devient porteur d'une drôlerie irrésistible. Elle relâche peu à peu sa surveillance, enfin elle respire normalement. Elle l'interrompt brusquement pour lui demander ce qu'il fait, tout de suite, et pourquoi il ne vient pas chez elle au lieu de lui tenir au téléphone ces discours délirants. « Tu es à deux pas de Mont-Royal, donc tu prends le métro, précise-t-elle comme à un enfant dysfonctionnel. Direction Côte-Vertu, tu descends à Berri-UQAM, puis direction Honoré-Beaugrand et tu sors à Pie-IX. Vas-tu t'en rappeler? »

Il y a peu d'enfants dans le métro, et peu de souvenirs d'enfants chez les adultes qui sont assis là, comme terrassés. Le chat en peluche, énorme sur les genoux de Pierrot, ne suscite pas de regards. Peut-être le prend-on pour un fantasme, une hallucination fatiguée de fin de journée. Pierrot se rappelle qu'il n'aime pas les métros et les autobus. Dans les métros et les autobus, l'humanité des gens se trouve brusquement en péril, chacun pour soi dans la guerre féroce de la promiscuité. En face de lui, par exemple, une femme aux yeux abîmés évite farouchement son sourire. Pierrot la choisit comme cible, parce que les femmes ne parviennent jamais à colmater toutes les brèches de leur armure. Il fixe son regard sur un coin de peau ridulée, là où un affaissement marque la frontière blessée de la bouche, il la regarde comme il l'embrasserait là précisément où il y a si longtemps qu'elle n'a pas été embrassée, et elle vacille, quelque chose s'alarme en elle, s'alarme et s'alanguit. Elle lui jette un regard bref, effrayé. Il sourit. Elle regarde ailleurs, mais elle est déjà perdue, elle revient vers lui, comment résister à l'appel impérieux qui émeut tant le corps vieillissant des femmes, elle revient poser sur lui des yeux de jeunesse éblouie.

Et maintenant, dehors dans l'obscurité fraîche, Pierrot admire le Stade olympique, que les admirables Montréalais paient depuis des lustres sans rechigner. Cet édifice qui ressemble à un spoutnik périmé le remplit d'une joie aiguë, cet édifice est la ville dans laquelle il se glissera tel un rat expérimenté, il ira voir des matches, il examinera de près le toit qui a donné naissance à cette saga dans les journaux — modeste et pitoyable saga sans doute, à la mesure des drames collectifs d'ici. Mais d'abord, la Petite. La Petite n'a jamais aimé les matches de hockey ou de baseball, n'a jamais aimé jouer, la Petite l'attend avec sa sévérité d'aïeule à quelques minutes de là.

Il n'y a pas de coïncidence, la maison qu'elle a choisie — qui l'a choisie — évoque étonnamment celle de leur courte vie commune, enroule ses escaliers de fer forgé sur trois étages de briques sanguines mordillées par l'âge, et dans le petit parterre entretenu, aspirant nostalgiquement à témoigner de la véracité de la vie avant le béton, il y a du basilic et des tomates presque mûres — comme celles-là exactement qu'il fallait protéger des écureuils, des perce-oreilles et de la Petite qu'irritaient déjà tellement les interdits et les fruits défendus. Frappé de mémoire comme d'autres le sont d'amnésie, Pierrot s'agenouille devant les tomates sacrées qui transportent le temps dans leurs flancs périssables, il s'apprête à en cueillir une lorsqu'une voix choit sur lui du haut du troisième étage, « Ne fais pas ça, dit la Petite, le propriétaire ne veut pas qu'on touche à son jardin ». Elle est suspendue dans le vide au-dessus de lui, ses cheveux liquides s'échappant vers le bas comme les fleurs d'une maigre clématite. S'il était plus grand, s'il avait la stature de ces pères mythiques dans l'ombre desquels les enfants ensevelissent toute crainte, il pourrait toucher son visage et connaître l'expression de ses yeux, mais tout ce qu'il parvient à voir, c'est une ombre noire, un corbeau sourd vers lequel monte, impuissante et inepte, sa voix lilliputienne. « Hello », dit-il.

« Hello », répète-t-il quand il se trouve face à elle, dans la lumière intimidante des halogènes et des murs blancs. Il lui tend le chat de peluche. Rien de doux, rien de moelleux ni de tamisé chez elle, elle se tient debout au centre de son salon vide comme un guérillero affrontant l'ennemi dans la clairière, personne ne la surprendra par-derrière, embusqué dans des taillis suspects. L'ombre d'un sourire passe sur son visage émacié lorsqu'elle prend le chat, mais elle ne le garde pas longtemps dans ses bras, elle le dépose par terre et dit de la même voix désabusée que sa mère : « Tu ne vieilliras donc jamais. » « Jamais », dit Pierrot.

Il la prend par les épaules et il l'embrasse, sur les cheveux parce qu'elle a détourné la tête, il tente de la serrer contre lui, mais elle est si légère qu'elle glisse de ses bras avec la souplesse d'une branche de saule. « Veux-tu du thé ? » demande-t-elle en s'enfuyant dans la cuisine.

Quelque chose de meurtrier est arrivé à la Petite, mais elle a survécu, et maintenant rougeoie dans ses yeux la flamme stoïque des menacés de l'intérieur. Elle s'est assise à côté de lui, sur le sofa blanc qui disparaît dans l'immaculé du salon, un sofa austère fait pour s'asseoir le corps droit, l'esprit flairant les dangers de la vie. Même froide et muette à côté de lui, et tout entière absorbée par l'absorption du thé vert, il la sent qui brûle, qui se consume et menace de s'effondrer sous le poids de ses cendres intimes. Par où commencer, quel raccourci emprunter pour la rejoindre là où elle est rendue ? « Je vais bien, dit-elle avant qu'il ait trouvé quoi que ce soit à dire, je vais mieux, ça fait six mois que je suis sobre. » Elle a les mêmes cheveux que lui, un feuillage noir touffu sous lequel son visage pâle luit d'une existence distincte, tel un camée cerné. Elle se passe la main dans les cheveux, comme lui à l'orée d'une confidence bouleversante. « Je suis contente de te voir », dit-elle sans le regarder, et Pierrot place sur la sienne sa main émue, qu'elle repousse tranquillement de ses doigts glacés, « je suis contente de te voir parce que j'ai des choses à te dire », dit-elle d'une voix appliquée qui exige le respect, et la distance déférente.

Il l'écoute, en apparence grave, mais chatouillé de l'intérieur par une perplexité amusée, car la Petite soudain parle beaucoup pour quelqu'un qui n'a jamais aimé parler, et ses mots sortent ficelés dans des emballages dont il ne reconnaît pas les étiquettes. Il ne lui a pas parlé vraiment depuis cinq ans, ce qui s'appelle parler, à peine quelques balbutiements au téléphone qu'elle s'est toujours empressée d'éteindre — en cinq ans bien sûr tant de révolutions surviennent, mais si peu de gens, à vrai dire, si peu de gens sont capables d'une véritable métamorphose. « J'ai changé complètement, dit justement la Petite, la poudre et l'alcool me donnaient une identité qui n'était pas la mienne. » « Il faut que j'apprenne à assumer mes manques sans béquille maintenant », ajoute-t-elle avec une crispation de la bouche qui se communique à ses épaules, comme un signal de douleur lui enjoignant de se taire. Ce qu'elle fait. Dans ce silence rempli de tous les manques non assumés, Pierrot remarque tout à coup le dos de la Petite, frêle et creusé comme l'échine d'un oiseau, et c'est sur cette métamorphose-là que son regard achoppe et hallucine, pauvre Petite si ronde quand elle était petite, pauvre Petite par quels manques déplumée. « J'ai manqué de père, démarre-t-elle avec une vigueur nouvelle. Le deuil d'un père vivant et irresponsable est plus pénible à supporter que celui d'un mort. Mon père n'a pas joué auprès de moi son rôle de garde-fou. J'ai manqué toute ma vie de garde-fou », conclut-elle en le regardant pour une fois en face, presque avec cordialité, si bien que Pierrot serait tenté de lui sourire et d'opiner, voire d'attendre avec curiosité d'autres renseignements croustillants sur ce père trop fou pour jouer les garde-fous. Mais elle le dévisage en espérant une réaction vive, une protestation blessée, comme si c'était de lui après tout qu'il était question. Pierrot agite son thé froid, avec le sentiment gênant d'être pris pour un autre. Ce qu'elle espère de lui est impossible à exhumer, n'existe nulle part en lui. « Je ne t'en veux plus, soupire finalement la Petite. Je t'en ai voulu longtemps. »

Le thé est froid, c'est donc qu'il serait temps de se secouer, de s'embrasser, d'aller musarder du côté riant de la vie. Pierrot harponne la Petite par ce qui dépasse d'elle, un coude pointu en l'occurrence, et il la soulève de terre. « Je t'emmène danser », décrète-t-il. La Petite lève vers lui un museau fripé par la stupéfaction, puis elle a encore une fois ce regard d'une autre époque, apitoyé et matois, le regard de la Sagesse affrontant l'Infantile. « Que cherches-tu donc à fuir ? » demande-t-elle à Pierrot.

Elle est de nouveau dans les décombres, fouillant à quatre pattes parmi les débris calcinés. Il lui a promis tellement de choses, dans le Moyen Âge de son enfance : l'emmener à New York, lui faire voir le Nil, lui offrir un cheval, promesses jamais tenues assénées comme des coups de poignard, mensonges assassins tant de fois réitérés. « Une fois, dit-elle, j'ai attendu toute la nuit que tu me montres le bonhomme de la lune, toute la nuit réveillée à attendre, tu n'es jamais venu, jamais... Tu m'avais promis qu'on apprivoiserait les mésanges... Tu m'avais juré qu'il y avait des écrevisses dans la baignoire... »

Elle est fissurée, intarissable, par toutes ses béances coulent des fleuves de lave et de scories sanglantes. Il écoute attentivement, il cherche à comprendre. C'est une question de mots, sans doute, ils ne parlent plus la même langue depuis qu'ils ont changé de ville, elle s'obstine à appeler promesses ce qui n'était que rêves partagés, elle l'accuse de mentir là où il jouait à inventer des choses impossibles. Mais il n'a pas le temps de traduire dans son propre idiome qu'elle est déjà rendue ailleurs, elle a refermé brutalement les vannes, mais voilà qu'elle en ouvre d'autres. « Quand tu m'asseyais sur toi, dit-elle, tu t'arrangeais toujours pour qu'un de tes genoux se faufile entre mes cuisses. » Pierrot, immobile et vigilant, guette la suite. Mais elle rajoute que ce n'est pas grave, que c'est l'inconscient, elle veut dire l'œdipe, elle lui parle de l'œdipe comme d'un ennemi personnel à terrasser et il l'écoute respectueusement. De temps à autre, il tente de glisser une intervention bénigne, un mot d'excuse, un témoignage de sa complicité désolée, mais elle ne les relève pas, et il se tait complètement lorsqu'il comprend soudain que tout ce qu'il pourrait dire ne sera jamais suffisant. Elle n'attend de lui au fond ni excuses ni justifications, elle attend de lui qu'il souffre à son tour, elle a besoin de sa souffrance à lui pour que la sienne s'amenuise.

Pourquoi n'est-il jamais question d'amour, dans ces confessions impudiques qu'elle brandit en pleine lumière, comment peut-on avoir vingt-cinq ans sans être lacérée par la passion, dévorée par le corps d'un autre? Et tout à coup c'est comme si elle devinait la muette circonspection de Pierrot, elle le dévisage avec un regard neuf, luisant de ferveur, et lorsque sa voix revient, elle est molletonnée par la concupiscence.

« Je l'ai découvert, dit-elle en souriant. Ça m'a pris du temps à admettre son existence, mais maintenant je le connais, je l'aime. Sans l'Être suprême, la vie sans béquilles n'est pas possible. L'Être suprême peut tout, si on lui remet les guides de notre vie. » Pierrot détourne le regard. La lumière brutale dans les yeux de la Petite lui fait mal comme un incendie. Il se souvient de l'intelligence acérée de la Petite, il se souvient de son nihilisme précoce, et tout à coup il souffre, oui, plus que de toute autre confidence, il souffre en silence tandis que la Petite parle du Grand Tout, illuminée, ardente, « il n'y a que le Grand Tout, dit-elle, pour être capable de tout ».

Il se lève le premier. Ce n'est que lorsqu'il s'approche de la porte qu'elle songe à s'informer de lui, mais en ne tâtant que parcimonieusement un territoire inoffensif. « As-tu trouvé une job à Montréal? » demande-t-elle. Il dit oui, il commence lundi à travailler pour la Ville. Elle le dévisage un moment, comme atterrée par sa facilité à dénicher des emplois, sur des coups de chance et de séduction. Elle dit : « Moi aussi, je travaille pour la Ville. Un contrat de deux mois. » Et elle se mord les lèvres, tandis qu'il lance en riant : « Peut-être qu'on va se retrouver dans la même équipe », puis il cesse de rire, car il est frappé lui aussi de ces similitudes qui surgissent sans crier gare, leurs cheveux noirs, leurs yeux en amande dévorés par une faim inextinguible, leur commune répugnance à s'engager dans des carrières astreignantes. Dommage qu'il ne lui ait pas légué le principal, la légéreté du cœur sans laquelle on trébuche dans la vie comme dans une tranchée boueuse, dommage que le bonheur ne soit pas héréditaire.

Dans le désert blanc du salon, Pierrot et la Petite s'attardent face à face telles deux excroissances exotiques, deux arbustes de la même famille transplantés dans un sol qui ne peut les accueillir. La Petite dit d'une voix redevenue très fragile : « Demain soir, pour célébrer mes six mois de sobriété, il y a une fête aux Cocaïnomanes anonymes, on appelle ça un « partage ». J'aimerais que tu viennes. » Elle lui coule un regard craintif en ajoutant que c'est à huit heures. « Bien sûr, dit Pierrot. Huit heures. Je viendrai. » Il cherche des mots précis, ceux que le thérapeute de la Petite doit épandre sur elle pour apaiser ses anxiétés, il ne les trouve pas. Il dit, platement : « Je suis content que tu ailles mieux. Je te jure, je suis vraiment content. » Elle le regarde et un coin de sa bouche se retrousse devant une méchanceté à dire, une moquerie incoercible qu'elle finit par retenir. À la place, elle se jette sur lui, elle le frappe de ses poings en même temps qu'elle l'embrasse, petite boule d'affection et de rage, et il la roule enfin longuement contre lui, submergé par un bonheur qu'il ne connaissait pas.

Le lendemain est un vendredi, le dernier vendredi libre de Pierrot avant que la Ville fasse main basse sur sa dextérité et sa sueur quotidienne. Il se lève tôt pour extirper des heures à venir tout le suc qu'elles recèlent. Ce qu'il aime par-dessus tout, c'est déambuler paresseusement en s'arrêtant dans des cafés inconnus et rêvasser, seul ou avec d'autres, rêvasser comme on dort tandis que la vie au dehors échafaude d'elle-même les circonvolutions merveilleuses qu'elle lui destine. Mais avant de penser à sortir, avant même d'avaler un café dans la cuisine tachetée par les prémices du soleil, il s'aperçoit qu'il manque quelque chose au matin de ce dernier vendredi de congé. Il regarde autour, il cherche ce qui manque. La chatte. La chatte n'est pas là, impériale, affamée, assommante, délirante du bonheur de le retrouver chaque matin, entravant tous ses pas de ses caresses extravagantes.

Il l'appelle : « Chose, GrosseChose. » Rien. Il chiffonne le papier de soie qu'il laisse toujours traîner par terre, il en fait surgir des bruissements irrésistibles. Rien.

Il la trouve derrière le sofa du salon, ramassée sur elle-même dans une position d'attaque molle, tel un détonateur hors d'usage. Elle suit d'un œil morose la main qu'il approche de sa tête. Quand il se met à lui gratter le front, rituel amoureux auquel elle succombe chaque fois, elle recule brusquement pour lui échapper. Pierrot n'insiste pas. Il laisse de l'eau fraîche à quelques endroits stratégiques de l'appartement et il s'en va. Les chats, comme les femmes, ont par moments des humeurs auxquelles il ne convient pas de se mesurer.

La journée est si belle qu'elle fuit de toutes parts pendant qu'il l'étreint, il baguenaude dans le Vieux-Montréal, il mange des moules et des crevettes, il remonte le boulevard Saint-Laurent en chantonnant, il s'assoit partout où des femmes semblent l'attendre et il les aime intensément pendant quinze minutes, il boit des litres de café et de vin en échangeant des banalités avec les serveurs, il achète pour la Petite un collier de perles transparentes qui saura alléger, peut-être, la noirceur de ses états d'âme. Quand il revient à l'appartement, il est six heures du soir.

Sur le tapis du salon, il voit des taches, rondes, presque rouges, reliées les unes aux autres comme des cailloux de Petit

Poucet. Il les suit jusqu'à la chambre, jusque sous le lit. La chatte est là. Elle a vomi partout. Il la gronde un peu, pour la forme, pour ne pas ressentir quelque chose de plus violent. La chatte, les yeux voilés, de l'écume rouge aux coins de la gueule, est en train de mourir.

La lourdeur du crépuscule flotte dans la pièce et embrouille les idées. Pierrot regarde sous le lit, à plusieurs reprises, avec étonnement. La chatte qu'il connaît est vive, soyeuse, et n'a jamais fait semblant de mourir. Où est partie sa chatte à lui, que fait sous son lit cette bête amorphe au pelage éteint, à la tête barbouillée de sang, laide comme une douleur qui ne passe pas? Qui donc s'amuse à enrayer le mécanisme d'une si belle journée? Il vient à Pierrot un agacement énorme, qui lui fait nettoyer le tapis avec des gestes emportés. Il s'arrête soudain, agenouillé par terre. La queue de la chatte, déployée en point d'exclamation, dépasse tranquillement de sous le lit comme si tout cela n'était qu'un jeu, un sommeil inaltéré, la queue de la chatte est un merveilleux panache tricolore dans lequel il aime fourrager, qu'elle lui abandonne toujours avec une générosité de courtisane, car, de sa queue fanion à son cœur de chat, elle lui est complètement, amoureusement asservie. Et Pierrot se lève en état d'urgence, il empoigne le téléphone et hèle à son secours tous les vétérinaires de la ville — bien peu parmi eux répondent à son appel en ce début de congé indifférent à la mort qui travaille, mais l'un d'eux dit: « Venez », et Pierrot y va, roulant, piaffant, planant au-dessus de la rue Saint-Urbain à l'orée du quartier chinois où l'attend un vétérinaire pétri de science miraculeuse, il va, les bras remplis d'une vieille chatte malade qui n'a que lui pour la ressusciter.

Les vétérinaires ont toutes sortes de façons de dissimuler leur science miraculeuse. Celui-ci est un homme petit et nerveux, déserté visiblement par la clientèle. Il fait entrer immédiatement Pierrot dans un bureau aux dimensions d'une cage — au fond de laquelle un authentique oiseau noir sautille dans une cage plus petite. « C'est un mainate, dit le vétérinaire, il parle. » Il regarde le mainate, comme s'il attendait une confirmation de sa part. Le mainate ne dit rien.

Le vétérinaire ausculte, soupèse, fouille GrosseChose dans chacune de ses cavités, grommelle des injures lorsqu'il apprend son âge vénérable — treize ans. Il lui infuse un peu de sérum pour la revitaliser, temporairement. Temporairement, admet-il à contrecœur, car elle souffre de maladie mortelle, un amalgame de *distemper,* de leucémie et de grand âge contre lequel il n'y a qu'à s'incliner bien bas. Il cille un peu sous le regard fixe et accusateur de Pierrot. « Ce n'est pas possible, dit Pierrot. Encore hier, elle était en pleine forme. » Le vétérinaire se racle la gorge, s'adresse au mainate avec une voix chargée d'humilité. « Cela arrive fréquemment chez les chats, les vieux chats, dit-il. Ils sont en pleine forme, et paf, ils vous claquent dans les mains. » Il accompagne le « paf » d'un petit geste de couperet à hauteur de gorge. Après, il offre à Pierrot sa sympathie fatiguée et des comprimés à administrer toutes les six heures pour adoucir l'état désespéré de Grosse-Chose, il offre même de la garder à vue quelques jours dans sa cage étriquée, mais rien ne rachète sa répugnante impuissance et Pierrot prend les comprimés en le haïssant.

La chatte repose maintenant contre le torse de Pierrot, molle et alanguie depuis le sérum, son œil vert s'entrouvre, ahuri, à chaque voiture qu'ils rencontrent, comme si elle tirait finalement quelque excitation de la promenade du retour. Lorsque Pierrot la dépose précautionneusement sur le sofa, dans l'appartement gagné par l'obscurité, elle émet une ébauche de ronronnement avant de s'endormir.

Pierrot boit plusieurs bières, allume la radio, et bientôt il dérive en compagnie de Neil Young au milieu d'amours plaintives et de sentiments simples. Après, lorsqu'il recommence à réfléchir, tout lui semble avoir réintégré sa juste place dans l'ordre du monde. Les animaux sont des êtres esthétiques mais limités, ils ont des âmes frustes qui n'exigent pas d'attachement excessif. Il est malsain, et sans doute dégénéré, d'éprouver pour les animaux des sentiments réservés aux êtres humains. Lorsque les chats meurent, on les remplace par d'autres chats, ou par des chiens, plus susceptibles encore d'accompagner l'homme dans ses périples guerriers.

Treize ans. Quand il a trouvé la chatte près d'une pinède abandonnée, quand plutôt la chatte l'a trouvé treize ans auparavant, il n'avait aucune strie blanche dans la chevelure, il n'y avait aucune espèce de ride dans sa jeunesse éternelle. Une souffrance irradiante surprend tout à coup Pierrot. Les êtres ne sont pas interchangeables. Chaque être perdu est une perte irremplaçable. Les êtres vivants ne sont pas interchangeables et il lui a fallu quarante-sept ans pour atteindre cette révélation qui le dévaste.

À cinq heures du matin, Pierrot se réveille. Il se souvient. Il se souvient qu'il a oublié, dans la tourmente de la soirée il a oublié la Petite, la fête de la Petite, ce « partage » qu'il avait promis de partager. Il se calme. Maintenant qu'ils se sont retrouvés, elle comprendra que ce n'est pas tous les jours que la mort nous rejoint. Il attend huit heures pour lui téléphoner. Tant mieux s'il la réveille, ils iront déjeuner ensemble, elle le consolera de la mort. Elle répond à la seconde sonnerie du téléphone. Elle ne dormait pas. Peut-être ne dort-elle jamais. Elle l'écoute un moment raconter des bribes de la soirée dramatique, puis elle l'interrompt, posément, sa voix est si calme auprès de la sienne à lui survoltée, elle lui dit de sa voix olympienne qu'elle ne veut plus le voir, jamais, ni lui ni le cortège de mensonges qui l'accompagne partout. Et elle raccroche.

Une éternité passe.

Pierrot s'assoit par terre, dans le bruissement du papier de soie qui jonche le tapis.

Il sent quelque chose sur sa main, une caresse de velours. La chatte est accroupie près de lui et tente de lui saisir les doigts à travers l'irrésistible écran de papier craquetant. Elle a ses yeux de démon excitée, ses yeux de chat qui vendrait son âme pour jouer. L'effet des comprimés, sans doute, la temporaire irruption d'énergie prédite par le vétérinaire. Pierrot glisse sa main sous le papier, de plus en plus vite, et elle s'affole, elle bondit autour de lui en négligeant de rentrer les griffes, elle attaque de tout son poids le papier qui se déchire, ridicule et magnifique elle guerroie pour rien en s'inventant un ennemi. Pierrot ne peut s'empêcher de rire, pris par le jeu qui annihile la souffrance, il joue avec elle longtemps, aussi longtemps que dure le sursis. Demain elle sera morte, mais maintenant elle est vivante, demain ils seront morts, tous, mais aujourd'hui ils jouent, ils jouent dans la vie légère pendant qu'elle les accompagne.

LE FUTILE ET L'ESSENTIEL

Échoué devant la gare comme une baleine anthropophage, l'autobus avait commencé à se délester de ses intérieurs : de petits êtres fripés émergeaient de l'air conditionné en clignotant des yeux, parmi lesquels Martine reconnut instantanément Fabienne, le chapeau de guingois sur la tête. Le chapeau ondoya jusqu'à la soute à bagages, parut engager là quelque rixe sanglante avec des têtes nues, puis resurgit triomphant de la mêlée avec, en guise de butin, deux valises corpulentes. Le visage de Fabienne, d'abord flou, devint quelque chose de très anxieux qui s'avançait rapidement vers Martine, en essayant de sourire.

— J'ai faim, clama de loin Fabienne, bien avant qu'elles se touchent. Le voyage a été horrible, des enfants mal élevés m'ont crié trois heures dans les oreilles, ma voisine puait la sueur, j'aurais dû prendre le train, quelle chaleur, quel monde, j'ai très faim, où on va ?…

— Bonjour, maman.

Elles s'étreignirent maladroitement. Fabienne sentait l'eau de Cologne bon marché et la confiture, la naphtaline des armoires et le gazon fraîchement tondu du petit bungalow de Val-Bélair. Martine fut envahie aussitôt par des relents fantômes qui la secouèrent. Une touffeur de marécage sourdait de la rivière Jacques-Cartier en crue tandis que les vêtements humides trépidaient sur la corde à linge, son père allumait une pipe sur la galerie et tout à coup c'était l'été crissant de foin, de cigales et de tabac sucré, « tu fumes trop, disait Fabienne, tu fumes trop, c'est dangereux ».

Martine s'empara des corpulentes valises et elles se mirent à louvoyer vers la sortie. Fabienne déambulait de côté tel un crabe, le regard sollicité par mille monstruosités citadines (« Mon Dieu! La fille a les cheveux roses… Ma parole, ce type se promène quasiment TOUT NU!… As-tu vu, c'est tous des nègres, les chauffeurs de taxi… »). Mais ce n'est qu'à bord de la voiture, alors qu'elles remontaient la rue Berri dans la fièvre assassine des fins de journée, plongées soudain au cœur de la faune cavalant chacun pour soi vers sa tanière, que Martine retrouva intégralement sa mère, moulin à débiter du vide, incroyable déversoir de puérilités diverses. « Ton frère s'est acheté une tondeuse à propulsion avec une manette intégrée qui verse de l'insecticide, la petite Agnès s'est fait couper les cheveux comme Madonna c'est un amour, Mme Cayouette tu te rappelles la voisine d'en face avec une tache de vin sur la joue? m'a dit l'autre jour que Mme Bigras — la nouvelle voisine d'en arrière qui a un petit chien bâtard insupportable — prétend que je jette mes feuilles mortes dans sa cour, est-ce assez insultant? »

Martine, prise de vertige, luttait désespérément pour ne pas couler : peut-être pouvait-on mourir d'une surdose d'insignifiances, ou, à tout le moins, en rester diminuée pour la vie, et elle luttait pour recréer le silence intérieur tandis que toutes sortes d'animalcules criards — petite Agnès Madonna à propulsion insecticide tache de vin de petit chien bâtard sur feuilles mortes — s'infiltraient en ricanant dans ses oreilles. Elle risqua un coup d'œil vers sa mère : le visage de Fabienne, anémié par l'âge et les diètes successives, était tendu avec avidité vers la rue Saint-Denis, mais son regard demeurait replié en dedans, au creux des vaguelettes clapotantes qui lui tenaient lieu d'univers.

Sitôt franchie la porte de l'appartement de Martine, Fabienne manifesta un désarroi infini. Elle était venue à Montréal deux ans auparavant, alors que le coquet six pièces de sa fille empruntait toutes les apparences de la normalité. Maintenant, elle se retrouvait dans un désert immense et blanc, ANORMALEMENT immense et blanc, et elle cherchait des yeux les cloisons, les portes, les meubles, toutes ces choses familières qui proclament clairement l'individu civilisé.

— Où est Simon? finit-elle par lâcher, d'un ton effaré qui suggérait : où diable sont passés les murs et le seul être raisonnable de cet endroit?…

— Voyons, maman.

Simon s'était volatilisé depuis deux ans, en même temps que les murs et la pesanteur ancienne de l'existence, et Fabienne avait été la première à l'apprendre et à l'oublier aussitôt. Martine n'eut pas l'énergie de lui reprocher sa bévue. Elle pressentait que cette semaine serait infernale, elle l'avait pressenti avant même de s'abandonner à cette masochiste invitation, et maintenant sa mère se tenait devant elle, flanquée de son absurde éternel petit chapeau et de ses valises de provinciale, silencieuse pour un moment infinitésimal, et la certitude s'installait : la semaine, oui, serait infernale.

Avec une audace de petite fille, Fabienne s'enhardit à pénétrer plus avant dans le loft, amusée par le claquement martial que produisaient ses talons sur le plancher de cette cathédrale vide. Elle ouvrit avec empressement la porte qui menait aux toilettes — enfin! quelque chose d'un peu conventionnel! — puis une autre porte, qui ouvrait sur une

41

petite pièce sans fenêtre, munie d'un seul futon, baignée par un éclairage bleuâtre.

— C'est ma chambre? s'enquit-elle avec terreur.

— Non, dit Martine. C'est mon… mon coin de méditation. De réflexion, corrigea-t-elle, devant le regard ahuri de Fabienne.

Après, il fallut manger de toute urgence, car l'estomac de Fabienne exigeait de la ponctualité dans l'ingurgitation des nourritures. Sa mère aurait préféré bâfrer parmi le monde, au sein de la foule huppée si possible, mais Martine avait confectionné un couscous aux légumes que Fabienne, amante enragée de protéines animales, dévora avec désolation.

Après, toute la soirée se tenait encore devant elles, inentamée, stagnante, attendant lugubrement de passer, et ce n'était que la première. Fabienne fut saisie d'une recrudescence de volubilité : les inepties de la tribu abominable, là-bas, connurent de nouveau leur heure de gloire. En proie à une lâche résignation, Martine écoutait vraiment par moments, sidérée une fois de plus par l'éloignement galactique de ces êtres tiédasses, ses frères, ses sœurs, agglutinés à des semblablement tarés, qui vivaient dans la détestation inquiète de tout ce qui émergeait de Val-Bélair. Fabienne était la plus récupérable, mais elle traînait tant de choses lourdes avec elle, tant de fardeaux auxquels Martine tentait depuis toujours d'échapper. Et elle ne s'informait jamais de Martine, jamais sincèrement, comme horrifiée par l'étrange vie que menait sa cadette. Martine se laissait sombrer dans une hargne marécageuse lorsque Fabienne, d'elle-même, interrompit soudain le déluge pour bondir vers la plus volumineuse de ses valises.

— C'est vrai! J'oubliais!… Je t'ai apporté des petites choses…

Et elle sortit des entrailles de sa valise de provinciale des confitures de framboises et de prunes, des poires à l'alcool, du vinaigre de mûres sauvages, des marinades fruitées, des pains de ménage, du vin de gadelle, des noisettes, du sucre d'érable, des brioches, une catalogne tissée à la main, deux chandails, des gants et un passe-montagne assortis en laine rouge sur lesquels voletaient des bernaches noires. Et ce qui luisait dans ses yeux, tandis qu'elle étalait fièrement ses trésors, était de l'authentique amour maternel, qui ne s'achète ni ne se feint, qui laisse un trou vertigineux quand il vient à manquer, devant lequel il n'y a rien d'autre à faire que fondre d'émotion.

Le chapeau avait une plume et, sous cette plume, une grande bouche mobile qui se tordait comme un fanion au vent. « Je veux l'oiseau, vociférait la bouche du chapeau, que l'on m'apporte l'oiseau complet ! » « Tais-toi, lui ordonna Martine, tu vas réveiller ma mère. » « Non, ricana le chapeau en s'arrondissant la bouche avec arrogance, c'est toi que je réveille... »

Martine ouvrit les yeux : elle aperçut le chapeau à l'autre bout du loft, momentanément réduit au silence. Fabienne se tenait, très droite, sous le chapeau.

Il était huit heures, la lumière d'octobre commençait à peine à découper un rectangle falot sur le plancher de bois franc, et voilà que Fabienne était habillée de pied en cap, installée devant le téléviseur dont elle avait coupé le son, prête à affronter, le chapeau sur la tête, les exaltantes aventures de la ville. Martine n'eut qu'à émettre une forme de grommellement pour que sa mère se dresse immédiatement sur ses pieds, éteigne le téléviseur et fonde, dynamite souriante, sur elle.

— Je t'ai fait des crêpes, elles sont au réchaud. C'est drôle, c'est les mêmes émissions que chez nous, à la télévision. Où on va, ce matin ?...

Ce « où on va » était terrifiant d'énergie. Le matin, Martine se levait avec précaution, pour réunifier ses fluides intérieurs ; elle faisait une demi-heure de taï chi et une demi-heure de méditation dans la chambre bleue ; elle mangeait des fruits, des graines, des oléagineux et des aliments lactés dans de très strictes proportions. Une sorte de chaude sérénité se mettait alors à lui parcourir les veines, et elle sentait, tout à fait physiquement, son cerveau crépiter de bien-être et d'inventivité. Et l'inventivité lui était essentielle car elle écrivait des textes très sérieux pour des revues d'avant-garde et des télévisions éducatives, textes dont Fabienne n'avait jamais osé prendre connaissance de crainte de n'y rien comprendre. Cette semaine ne serait donc en rien comparable aux temps sereins de la solitude, et il faudrait sans doute une couple de mois à Martine pour s'en remettre complètement.

— Mme Chapleau m'a préparé une petite liste, dit Fabienne. Tu sais, Mme Chapleau, la femme du cousin du mari de Monique qui a une sœur qui vient souvent à Montréal…

Elle sortit de sa sacoche la petite liste et un appareil photographique, à tout hasard. Sur cette liste figuraient les lieux et les curiosités que la sœur de Mme Chapleau qui-venait-souvent-à-Montréal jugeait absolument incontournables pour une touriste de Val-Bélair.

— Le Jardin botanique, le lac des Castors sur le mont Royal, le Musée des beaux-arts, le Stade olympique avec l'ascenseur qui monte, le Biodôme, la rue Sainte-Catherine mais pas trop tard le soir, le Vieux-Montréal parce qu'ils vendent des T-shirts marqués Montréal dessus, les studios de Radio-Canada pendant un enregistrement du nouveau téléroman de Lise Payette…

Martine, accablée, remercia le ciel que l'oratoire Saint-

Joseph ait été au moins omis sur la liste des lieux de pèlerinage incontournables : cette sœur de Mme Chapleau, maudite soit-elle, ne devait pas être une personne très pratiquante.

— Les boutiques chic de la rue Laurier, continuait studieusement Fabienne, les smoked meat de chez Saint-Laurent boulevard Schwartz...

— Chez Schwartz boulevard Saint-Laurent, rectifia mollement Martine.

— ... le cimetière Mont-Royal, le quartier des Anglais, le...

Martine éclata de rire, un rire plein de soufre et de désespoir.

— Le quartier des Anglais ?

— Mais... oui ! dit Fabienne. Tu sais bien, dans l'Ouest, Ouestmoont ça s'appelle...

Oui, il était extrêmement facile de l'imaginer, Fabienne son petit chapeau et son appareil photographique faisant irruption chez des quidams de Trafalgar Heights, à Westmount, martelant le heurtoir en or massif de quelques maisonnettes de trois millions de dollars pour s'enquérir poliment : Êtes-vous un Anglais ?... *May I take a photography ?*...

— Mais il y en a partout, des Anglais, éclata Martine. Je peux te présenter ceux de l'appartement d'en bas, si tu veux !...

— Dîner à L'Express rue Saint-Denis, poursuivit Fabienne, froissée, souper de chouchis au restaurant japonais...

— C'est du poisson cru, les sushis, tu ne peux pas aimer ça !...

— Pourquoi ? dit Fabienne. J'y ai jamais goûté. Le poisson cru, c'est très bon pour le cœur.

Elle rangea la liste dans sa sacoche et attendit patiemment

que sa fille consente à lui dévoiler quelques-unes des merveilles montréalaises. Martine prit son stoïcisme à deux mains, et elles plongèrent dans la ville.

Dans le métro, d'abord, que Fabienne avait tenu mordicus à prendre, elles ne passèrent pas tout à fait inaperçues. Fabienne se cramponnait aux rebords de son siège pour bien en marquer la propriété ; à chaque station, malgré les indications mille fois réitérées de Martine, sa voix exaltée faisait tressaillir tout le wagon : « On sort ici ? Est-ce qu'on sort ici ?... » Un Vietnamien vint à s'appuyer près de son siège : elle l'avisa au début avec terreur, puis, rassérénée par sa petite taille, finit par lui demander s'il s'ennuyait de chez lui. À la station Berri-UQAM, près de la sortie, elle s'arrêta pour applaudir à tout rompre le musicien qui s'y produisait — un pauvre hère, qui torturait une mandoline jusqu'à ce qu'elle exhale des piaulements — et lui versa, magnanime, une obole de dix cents.

Ayant pris la décision de réduire les souffrances au minimum, Martine l'entraîna au Jardin botanique, haut lieu d'harmonie et de calme plus compatible avec ses propres inclinations. Fabienne admira les orchidées, mais fut mortellement déçue de ne pouvoir en prélever une toute petite bouture pour son parterre. Et après une demi-heure, elle trouva que ces agglomérats végétaux devenaient monotones à regarder, avec leur manie d'évoquer la campagne. Elles s'en furent donc dans le funiculaire du Stade olympique. De là-haut, Fabienne tint à jeter des sous noirs dans l'espace, pour conjurer la chance — sans une pensée pour les piétons, en bas, qui recevaient sur la tête le faciès rébarbatif de la reine d'Angleterre — et fut prise d'un accès de vertige qui les obligea à redescendre à pied les quelques centaines de mètres qui les séparaient du sol.

Il y eut quelques autres traversées épiques en autobus et en métro, une expédition dans le Vieux-Montréal pour dénicher les horreurs les plus exportables à Val-Bélair, un trot circonspect dans la rue Laurier pour reluquer à quoi ressemble le gaspillage et, après, Fabienne eut faim.

La combativité de Martine était si réduite à néant qu'elles se retrouvèrent au Mikado, à commander des « chouchis » et des *sashimis*. Fabienne accueillit les amusantes orientaleries avec bienveillance, mais un coup de fourchette un peu nerveux dans ses *uni maki* la convainquit que ces mignonnes petites choses vivaient encore. Elle pâlit.

— Mais c'est complètement cru, souffla-t-elle, épouvantée.

— Tiens donc! ricana Martine, sans une ombre de compassion.

Sa mère, qui avait connu adversité plus redoutable, héla la geisha de service d'un doigt péremptoire.

— Pourriez-vous, minauda-t-elle, me les faire revenir un peu dans la poêle?… Oh, pas longtemps, cinq six minutes…

Et tout ce temps, tandis qu'elle parcourait et dévorait insatiable la ville, les mots s'étaient éjectés de sa bouche à une vitesse sidérale, elle parlait et la réalité se rapetissait comme aspirée de l'intérieur, elle parlait et la vie devenait une anecdote désespérante de laquelle tout sublime était à jamais évacué, à jamais. Elle parlait et elle se serrait contre Martine, lui empoignant le bras sans cesse, se frottant à elle comme une obscène amoureuse. Et ce contact, bien pis que les mots, était la chose la plus horrible qui soit, il disait : nous sommes liées pour la vie, toi et moi si dissemblables, il disait : jamais personne ne t'aimera autant que moi, Martine, souviens-t'en toujours.

Et Martine, anéantie, savait que cela était vrai.

Le troisième jour, quelqu'un de la télévision éducative appela Martine, officiellement en vacances, pour lui demander de préparer quelque paperasse capitale : jamais travail ne fut accueilli avec autant d'enthousiaste célérité. Le troisième jour, donc, Martine s'attela à son ordinateur comme on va à la mer, le cœur ronronnant, et Fabienne se trouva seule pour visiter les merveilles montréalaises.

Elle regardait par la fenêtre les gratte-ciel du centre-ville, en soupirant d'appréhension. Comment se rendre là intacte et en revenir de même, sans être piétinée par les brontosaures métalliques, enfermée dans les labyrinthes, assaillie par les égorgeurs ?… Martine lui dessina des plans et des cartes, inscrivit l'adresse de retour, lui fit répéter le trajet comme à une écolière retardée. Et Fabienne sortit, le chapeau de guingois sur la tête, les mains crispées sur sa sacoche. Martine, de la fenêtre, la vit bousculer sans sourciller un gros homme qui venait en sens inverse avant de disparaître, terrifiée, vers l'inconnu.

En fin d'après-midi de cette troisième journée, on sonna à la porte de chez Martine, et lorsqu'elle alla ouvrir, il y avait là Fabienne, encadrée de deux hommes en uniforme de policier. Fabienne entra sans un mot ni un regard pour Martine et s'en fut directement dans les toilettes. Les policiers, eux, restèrent poliment sur le seuil. Voilà, narra l'un d'eux tandis que l'autre souriait à des fantasmes intérieurs : il y avait eu une panne dans le métro, noir total et panique habituelle, vous savez comment ça se passe, et cette dame était restée comment dire sous le choc, il avait fallu la tirer de force de dessous le banc où elle se terrait et fouiller dans ses papiers pour obtenir son adresse, peut-être qu'un médecin ou un léger remontant genre alcool serait indiqué — le policier eut

pour le remontant genre alcool un sourire plein de bien-
veillante confiance.

Fabienne ne desserra pas les dents de la soirée. Elle refusa
de manger et d'enlever son chapeau. Elle se tenait sur son lit,
raide et récalcitrante, elle faisait non de la tête à tout ce que
Martine lui disait. Elle finit par s'étendre sur le lit, les yeux
ouverts sur des visions impénétrables. Martine la borda et lui
massa les tempes. La peau de Fabienne avait une texture gra-
nuleuse et jaune, comme les vieilles photos.

Au milieu de la nuit, Martine s'éveilla. La grande pièce
était calme ; elle sentit comme un accroc dans le silence, une
tache infiniment lointaine qui allait s'élargissant, à petits sons
mouillés.

Martine trouva sa mère pelotonnée sur le futon, dans la
chambre fermée. La lumière bleuâtre gommait les formes de
Fabienne ; on ne discernait que ses vêtements froissés, ramas-
sés en boule, qui exhalaient discrètement des plaintes.

— Qu'as-tu, maman ?…

Les plaintes enflèrent jusqu'à envahir la chambre, devin-
rent un magma à travers lequel un mot se faufilait.

— Peur, gémissait Fabienne, peur, PEUR…

Martine s'approcha craintivement. Sa mère sentait la
sueur et la douleur animale.

— Faby a peur, articula-t-elle avec netteté, oh Faby a
peur…

Martine la regardait, paniquée. Ces choses-là dépassaient
sa faculté de réagir, il fallait appeler un médecin, des étrangers
qui sauraient mater l'angoisse et ramener sa mère du côté raisonnable de l'existence. Fabienne éructait des phrases
entières, maintenant, de cette voix égarée qui était comme
une parente juvénile de la sienne.

— Faby va mourir, veut pas, veut pas mourir, Faby veut pas mourir…

— Mais non, tu ne vas pas mourir, maman, voyons, maman…

— Maman, répéta Fabienne avec une grimace de désespoir, maman, Faby a la petite bête, la petite bête noire, maman…

C'était ainsi, depuis toujours, que l'on appelait le cancer dans la famille de Martine ; son père était mort de cette chose innommée, dix ans auparavant, de la petite bête noire qui s'était mise à grignoter ses poumons (« tu fumes trop, disait Fabienne, tu fumes trop, c'est dangereux »).

— ARRÊTE ÇA, MAMAN !…

— Maman, maman… répéta l'enfant Faby en se cramponnant à Martine, maman, s'il te plaît, je veux pas, veux pas mourir…

Elle pressait contre Martine sa tête grise aux cheveux clairsemés, et soudain elle était redevenue ce qu'elle n'avait jamais cessé d'être sous la menteuse carapace extérieure, une petite fille terrifiée qui criait au secours. Martine se calma et retrouva les vieux gestes de sa mère, prendre l'enfant par les épaules — oh le temps douillet si proche où toute angoisse de l'enfant Martine s'évanouissait contre ces épaules —, prendre l'enfant Faby avec des gestes enveloppants et bercer, bercer, oui, endormir toutes les bêtes…

Le lendemain, en se levant, Fabienne mit son chapeau et décréta qu'il était temps de rentrer chez elle. Elle avait la voix vigoureuse et le regard à peine fuyant. Elle s'excusa de la nuit précédente, une absence incompréhensible, un vieux relent de claustrophobie, son oncle maternel avait souffert du même mal, « Édouard, tu t'en rappelles ? »…

Et dans la voiture qui la menait au terminus d'autobus, elle narra avec force détails les horreurs de ce métro immobilisé dans le noir et la moiteur, une femme pleurait dans une langue étrangère, un homme puait l'urine, un ivrogne s'était mis à rire, tout reprenait sa position rassurante, anecdotique, et Martine se tenait coite, effrayée par le non-dit. Là-bas, dissimulée derrière chaque voiture, la petite bête noire les regardait passer. Il fallait poser la question essentielle, celle qui déchirait l'intérieur : « Est-ce que c'est vrai, maman ?... Est-ce que tu L'as ?... »

— Regarde, dit Fabienne... Les outardes qui s'en vont.

Debout près du quai d'embarquement, elles regardèrent passer au-dessus de la ville les oiseaux migrateurs. Quand Fabienne baissa la tête, son regard était si grave que Martine sut qu'elle allait parler, parler vraiment, répondre à la question muette. Martine s'empressa de parler la première, vite, vite, bousculer les mots cul par-dessus tête, n'importe lesquels pourvu qu'ils flottent, futiles et délicieusement légers, vite étouffer ce qui s'en venait détruire l'innocence.

Et Fabienne se tut, une lueur soulagée dans le regard.

JAUNE ET BLANC

à Ying Chen

Tu avais raison, grand-mère, les lieux sont des miroirs poreux qui gardent les traces de tout ce que nous sommes. Lorsque nous regardions ensemble les jardins de l'autre côté du Huangpu, à Shanghai, je ne voyais de mes yeux trop jeunes que des paysans et des platanes agités par le vent, alors que tes yeux à toi plongeaient sous les arbres et les humains affairés et ramenaient à la surface des images invisibles.

Je sais maintenant que tous les lieux parlent, grand-mère, les jardins et les rues de Shanghai, les tramways et les autobus, les maisons et les montagnes, et même les magasins.

C'est un magasin qui m'a révélé ce que serait ma vie à Montréal, un magasin semblable à un archipel aux îlots surpeuplés, dont les foules denses sont formées d'objets plutôt que d'êtres vivants, un magasin au nom étrange qui ne fournit aucun indice sur son contenu : Canadian Tire.

Je plantais des dahlias dans le jardin de mon nouveau propriétaire, et je voulais les soutenir avec un tuteur. Je suis entrée dans ce Canadian Tire pour acheter rapidement un morceau de broche ou de bois, et je n'en suis sortie que trois heures plus tard, l'esprit ployant sous l'encombrement et les mains vides.

Les choses de ce magasin, grand-mère, courent à perte de

vue dans des allées plus larges que des ruelles et grimperaient jusqu'au ciel si le plafond ne venait interrompre leur escalade.

Elles sont rouges, grises, jaunes, vertes, grandes, petites, allongées, rondes ou rectangulaires, et pourtant on dirait qu'elles se ressemblent toutes, et plus le regard cherche à les distinguer les unes des autres, plus elles se multiplient et se dérobent et se fondent à l'infini en un seul objet monstrueux, aux parties innombrables et à l'usage mystérieux.

J'ai tenté d'avancer dans ce magasin comme je l'aurais fait dans la rue Nanjing au milieu d'une cohue. Mais comment avancer lorsqu'il n'y a aucun repère, comment savoir dans quelle direction porter ses pas ? Alors je suis restée immobile, le cœur serré par l'effroi, pendant que les clients affluaient à l'intérieur, me contournaient sans me voir, fonçaient avec détermination là où il leur fallait aller, là où les attendaient une destination et un objet précis. Je n'ai jamais connu d'angoisse plus grande qu'à ce moment-là, grand-mère, à ce moment où Montréal m'est apparu comme une énigme indéchiffrable dont les clés et les codes pour survivre m'échapperaient à jamais.

Ma détresse n'est pas demeurée inaperçue, puisqu'un homme s'est approché de moi et m'a demandé en anglais, avec un accent français, s'il pouvait m'aider. Je lui ai répondu en français, qui est la seule langue d'Amérique du Nord que je connaisse, mais aucune langue à cet instant n'avait d'utilité pour décrire un objet dont j'ignorais le nom, et lorsque je lui ai dit avec affolement « non merci », il a interprété malheureusement ces mots comme une invitation à m'abandonner sur-le-champ, au lieu d'y voir une formule préliminaire de politesse et un appel au secours.

Le secours ne viendrait plus de nulle part. J'ai fait quelques pas dans n'importe quelle direction, et moi qui ne sais pas nager, grand-mère, je me suis enfoncée dans cette mer solide et insondable jusqu'à ce qu'elle se referme complètement sur moi. J'ai affronté minutieusement chacun de ces objets sophistiqués, ouvragés par des mains d'artistes ou de robots, j'ai interrogé un à un les morceaux de métal et de substance colorée pour tenter de déceler à quelle partie de la maison ou de l'existence ils pouvaient se rattacher. À un certain moment, j'ai reconnu des couteaux. Il y en avait cent vingt-neuf, de formes et de dimensions différentes, et j'ai pensé avec terreur qu'il existait dans ce fabuleux pays cent vingt-neuf façons de découper, et que je n'en connaissais qu'une. Un peu plus loin, j'ai rencontré soixante-trois plats aux profondeurs variables dans lesquels je n'aurais su s'il fallait mettre du riz ou des clous. Soudain, encore plus loin, j'ai vu des pelles. Des pelles, grand-mère, des sœurs familières de celles que nos paysans enfonçaient dans la terre de l'autre côté du Huangpu, et je me suis précipitée vers elles, car où il y avait des pelles il y aurait peut-être de la broche ou du bois pour mes fleurs, pour mes pauvres dahlias que le flot des choses sans nom commençait à entraîner dans l'oubli.

Je n'ai pas trouvé de broche ou de bois, mais j'ai trouvé quarante-neuf sortes de pelles, et dix-huit sortes d'un gros outil appelé Weed Eater, une chose démesurée enveloppée dans du plastique et perchée au-dessus des allées comme un roi aux pouvoirs obscurs.

C'est ainsi, grand-mère, que s'est déroulée mon initiation à la vie montréalaise, cet automne presque lointain où j'étais encore un arbuste chinois fraîchement transplanté en Amérique du Nord.

Depuis, le Saint-Laurent m'est devenu aussi familier que le Huangpu et mes promenades dans la rue Saint-Denis ont l'aisance de celles qui m'entraînaient dans le Bund avec toi. Depuis, j'ai aussi compris à quel point Montréal était contenu dans ce magasin qui m'a tant effrayée, ce magasin aux utilités et au superflu confondus.

Le foisonnement, grand-mère, fait maintenant partie de mon environnement quotidien. Il existe ici tant de vêtements aux lignes et aux couleurs disparates, tant de lieux possibles où les acheter, tant de façons complexes de revêtir une seconde peau qui transforme l'apparence, que j'ai cru longtemps que je n'arriverais jamais à choisir une jupe. Il existe tant de spectacles et de restaurants, tant de saveurs de glace — mais pas de glace aux haricots —, tant de voitures et d'objets à vendre et à regarder. Le foisonnement, maintenant, ne me fait plus peur, et le trop-plein et le vide fatalement se rejoignent. Il naît et il meurt constamment tant d'informations dans les journaux et à la télévision que je me sens parfois comme en Chine où aucune information ne circulait, ramenée à une disette qui m'empêche de comprendre le monde.

Je ne dis plus : « non merci » pour signifier : « oui s'il vous plaît ». Tout doit être exprimé avec force et clarté, ici, et les gestes et les mots suivent une ligne droite rapide qui exclut la poésie du non-dit. J'arrive maintenant à embrasser les amis québécois qui m'embrassent, puisqu'il n'y a que cette étreinte excessive pour les convaincre de ma réelle affection.

Dans ce magasin où un francophone s'est adressé à moi en anglais, il y avait aussi le reflet de ce terrain mouvant où se côtoient les langues d'ici, le reflet de ce combat très courtois que les francophones de Montréal rêvent de remporter sans combattre. Je parle mieux français chaque jour, mais chaque jour, je sens leur méfiance. Je reste une ombre légère en retrait. Ils sont les seuls à pouvoir se libérer de leur méfiance, les seuls à pouvoir conquérir le sol qui leur appartient déjà.

Je suis maintenant seule, grand-mère, comme un vrai être humain. Personne ne me dit où me diriger dans les allées des magasins et les sentiers de la vie, personne ne pose sa main protectrice sur mon épaule pour approuver ou nier mes choix. Je vais, comme les clients de Canadian Tire, directement où je crois qu'il me faut aller, sans attendre de soutien, j'ai le pouvoir de traverser les étalages surabondants sans rien acheter. Ce n'est pas facile de comprendre tout à coup ce qu'est la liberté, la douloureuse et magnifique liberté.

Depuis, la Chine a changé elle aussi, je le lis parmi toutes les informations qui m'encerclent ici. Je sais que les Chinois boivent de plus en plus de bière, ont de moins en moins de chiens, je sais que le désir d'argent a répandu partout sa frénésie, jusque dans les couches les plus irréductibles du parti. Je sais que Shanghai s'agite sous les grues des constructeurs, dans le sillon des périphériques modernes, et que Pudong, avec ses tours et ses gratte-ciel financiers, a effacé les platanes et les paysans enfonçant dans les jardins leurs pelles millénaires, a effacé de l'autre côté du Huangpu les images qui naissaient sous tes yeux. Peut-être qu'un jour il n'y aura plus de différence entre être un Chinois et être un Nord-Américain.

Depuis, surtout, la vie s'est retirée lentement de toi, grand-mère, et tu ne vois ni n'entends plus les mots que l'on projette autour de toi. Les mots entre nous n'ont jamais été nécessaires, et ceux-ci trouveront leur chemin pour t'atteindre. Je veux te rassurer sur le sort de ta petite, avant que Seigneur Nilou ne t'attire tout à fait dans son royaume. J'ai trouvé mon lieu, grand-mère, celui au centre de moi qui donne la solidité pour avancer, j'ai trouvé mon milieu.

ALLÔ

La cabine téléphonique est dans une petite rue sans arbres, sans passants, sans rien pour distraire le regard ou emprisonner l'imagination. Quand il s'enferme là le lundi soir, avec son carnet d'adresses, il parvient à oublier des quantités de choses déplaisantes, à commencer par sa propre existence.

Il téléphone. Il téléphone à des femmes qu'il ne connaît pas, ce qui limite passablement les conversations et constitue, il faut bien l'admettre, un geste répréhensible puni par la loi.

Il procède toujours méthodiquement, car on n'arrive nulle part, autrement, dans la vie. Il choisit vingt-six noms de femmes dans l'annuaire, commençant par les vingt-six lettres de l'alphabet. C'est simple, et ça favorise la diversité. Il reconnaît les femmes à leurs prénoms — Julie, Carmelle, Zéphyrine... — ou à la puérile habitude qu'elles ont de se camoufler sous une lettre, comme si ça ne constituait pas en soi une signature sexuelle. Il n'est évidemment pas à l'abri des erreurs : il y a un M. Proulx, l'autre lundi soir, qui l'a laissé pantois avec sa voix de brute belliqueuse, et d'autre part, l'époque est difficile, nombre d'hommes se mêlent de plus en plus de se prénommer Dominique ou Laurence, pour brouiller les pistes. Mais il s'agit de cas isolés, le vrai problème réside ailleurs. Il a pris cruellement conscience, la dernière fois, que les Yanofsky, les Zajoman et les Winninger se faisaient rares, ce sont là de périlleuses lettres, à vrai dire, tout juste bonnes à alimenter encore une dizaine de lundis, il lui faudra repenser sa méthode. Déjà, en farfouillant dans ces W, X, Y, Z barbares, il est tombé sur des étrangères, Allemandes ou Polonaises, qui n'ont pas compris qu'il s'agissait d'un appel anonyme, et cela lui a tout à fait gâché le plaisir.

Quand il a arrêté son choix sur les vingt-six noms de femmes présumées commençant par les vingt-six lettres de l'alphabet, il les copie dans son carnet parce que c'est plus intime, ainsi, et que ça tisse subtilement des liens. Il s'appuie le dos contre la vitre de la cabine téléphonique, il pose devant lui vingt-six pièces de vingt-cinq cents, il tient à la main son carnet ouvert comme une sorte de drapeau blanc.

Il glisse une pièce de monnaie. Il compose les numéros. Il attend. Il ne dit rien. Il attend que les femmes parlent, voix d'inconnues éraillées et délicates, troublées et agressives, flétries et juvéniles, tant de voix différentes qui l'entraînent sur-le-champ dans d'incroyables périples immobiles. Et pourtant, il n'a rien du détraqué pervers, il en est sûr, il ne se branle pas au téléphone, par exemple. Ce qu'il aime, c'est autre chose, c'est s'introduire subrepticement dans leur existence à partir de presque rien, un timbre de voix, deux trois syllabes et il peut tout imaginer, leur visage, leur environnement immédiat, leur état d'âme très précis, la façon dont elles se vêtent et mangent et cajolent leur chat.

Elles raccrochent toujours trop vite, en ne disant rien, ou en lui hurlant dans les oreilles, ou pire, en le menaçant d'une castration très douloureuse. Il ne voit pas en quoi il a mérité ça.

Quand il a terminé ses vingt-six appels, il reste un moment les yeux fermés avant de composer l'ultime numéro, le même chaque lundi, qu'il connaît par cœur et qu'il n'a pas cherché dans l'annuaire.

Elle répond. Il ne parle pas, il est tendu par l'angoissante expectative. Elle a sa belle voix rauque qui s'impatiente au bout du fil : « Allô ! ALLÔ !… », et c'est le même déchirement, toujours, quand elle raccroche sans l'avoir reconnu, quand elle le rejette brutalement dans le néant duquel elle l'a à peine tiré en le mettant au monde.

LES TRANSPORTS EN COMMUN

Elle a sauté entre les rails, dans un froissement raide de ciré. Elle n'est pas tombée, c'est surprenant pour un grand corps aussi empêtré que le sien. Et maintenant, elle se tient tranquille, son sac à main bien amarré sur l'épaule. Elle fait comme les autres, elle attend le métro — mais pas pour y monter, très manifestement.

Ça se répand comme une grippe intestinale parmi les transportés de l'heure de pointe, la station Berri au grand complet se masse près de la voie pour mieux reluquer ça : ils se rendent compte, les gens, que c'est un drame qui est en train de s'embryonner sous leurs yeux, et ça les laisse tout ébaudis, tout excités, ils n'ont pour la plupart jamais vu de suicidée pour de vrai, en chair et en ciré comme je vous parle.

Il y a Conrad parmi la foule, il est vendeur de souliers chez Pegabo et un peu plus petit que la moyenne, ce qui le prive du spectacle. Il comprend tout de suite que quelque chose d'insolite se trame et il s'approche, lui aussi, pour tenter d'attraper des bribes de l'aventure. Les gens marmottent entre eux comme de vieilles connaissances, « C'est une désespérée ! » clame devant Conrad un grand type qui voit tout et qui a beaucoup lu, probablement. À force de jouer des coudes, Conrad se faufile au premier rang et il l'aperçoit. Elle a des lunettes, la trentaine un peu moche, éteinte par l'ordinaire, et ce grand ciré noir qui lui fait une silhouette invraisemblable. Elle tourne le dos à tout le monde, l'air d'affirmer que cette histoire ne la concerne en rien, elle s'achemine lentement vers la gueule sombre du tunnel, d'où s'exhalent déjà des grondements de wagons en marche. À la regarder comme ça, tellement tranquille, on ne comprend pas, ce n'est pas le genre à avoir connu des peines d'amour — ce n'est pas le genre à avoir connu quoi que ce soit, d'ailleurs, et sans doute est-ce là une raison suffisante pour se tenir ainsi si résignée face à un métro homicide qui s'avance.

Quelqu'un près de Conrad hurle : « Il faut faire quelque chose ! » et Conrad, avec un retard un peu abasourdi, se rend compte que c'est de lui qu'est sortie cette vocifération farfelue. Les autres autour marquent leur accord de principe par des hochements de tête vaguement fatalistes, oui, certes, il faut faire quelque chose, mais quoi, que peut-on contre la mort et n'est-il pas déjà trop tard, le métro s'en vient, pauvre pauvre fille, pauvres enfants pauvres parents de cette pauvre fille. Le métro s'en vient, Conrad ne veut pas être celui qui agit, n'a jamais voulu, le métro s'en vient, son mugissement de mécanique emballée monte comme une fièvre, trop tard pour prévenir les contrôleurs là-haut, trop tard pour parlementer avec la fille et la convaincre — de quoi, au fait ? Madame, la vie vaut la peine, restez en vie, madame, si personne ne vous aime, moi je vous aimerai… Comment le croirait-elle, lui qui n'aime que les hommes ? Et tout à coup Conrad plonge dans la fosse sans réfléchir, il saute sur la fille, l'assomme à moitié, il la lance telle une botte de foin sur le quai et s'y projette lui-même, tant l'émotion décuple les forces.

Et soudain, surgie d'on ne sait où, une équipe de télévision entière se dresse devant Conrad, les projecteurs l'éblouissent, on le hisse sur des épaules et on l'applaudit. La fille en ciré a enlevé ses lunettes et son ciré, elle est très belle comme dans les annonces d'esthéticienne Avant-Après, elle explique à Conrad qu'il s'agit d'un test télévisé en direct sur l'héroïsme ordinaire, c'est lui qui gagne, est-il content? Conrad est interviewé au *Point* et à *Rencontres,* il fait la une de toutes les presses du lendemain, Jean Chrétien lui offre une cravate, le pape lui télécopie des indulgences, il reçoit la légion d'honneur et la croix de Saint-Jean-Baptiste.

Ça l'écœure, Conrad. Il a dû changer de job parce que les clientes le harcelaient — c'est vous le héros, est-ce que je peux vous toucher?... Maintenant, il ne prend plus le métro. Il marche. Et quand il se trouve arrêté à un feu rouge, à côté d'un aveugle par exemple, il ne l'aide pas à traverser comme il l'aurait fait auparavant, non monsieur, il le bouscule un peu, en sourdine, pour qu'il se casse la gueule.

TENUE DE VILLE

C'est un lieu où les belles choses se côtoient sans s'oppresser, avec une distinction qui laisse à chacune l'espace pour briller. Les fauteuils, de velours chaud et d'aérienne tubulure, sont bleus comme un ciel inaltérable. À côté d'eux, les plantes encastrées dans de vastes urnes se croient sous les tropiques et se lancent dans des floraisons extravagantes. La lumière, il faut dire, émane de partout, solaire même lorsqu'il pleut. Sur les petites tables basses où le verre se marie au vrai marbre, des livres d'art luxueux et des revues culturelles sont abandonnés aux doigts errants et remplacés impitoyablement aussitôt qu'un fantôme de flétrissure apparaît au coin de leurs pages. Il y a peu de tableaux sur les murs, mais ceux qui y sont proclament leur authenticité, l'un signé par Edvard Munch, l'autre par Edmund Alleyn, le dernier par Riopelle dans sa période d'oies et de tourmentes.

C'est un îlot de bon goût et d'harmonie où la richesse ne se fait pas ostentatoire, comme si l'argent, ici, n'avait pas d'importance. Et pourtant, l'argent, ici, repose au cœur de tout, maître à penser et à suivre, destination ultime des pensées et des gestes, puisque nous sommes dans une banque.

Les gens qui travaillent ici se sont moulés sur l'esthétisme général, et ils vaquent sans bruit, sorte de prolongation transparente du décor. Le directeur et son long cou d'aristocrate évoque irrésistiblement Modigliani, sauf lorsqu'il ouvre la bouche. Les caissières ne se vêtent que dans les dispendieuses boutiques avoisinantes, quittes à sacrifier ainsi la quasi-totalité de leur salaire. L'agent de sécurité a sans doute été engagé pour la perfection de ses moustaches, qu'il cire avec une nostalgie dalinienne. Comment le client ne se sentirait-il pas bien dans ces émanations de beauté où même l'argent a acquis une odeur délicate?...

De clients, aujourd'hui, il n'y en a que trois, car nous sommes à l'heure creuse de l'après-midi, un peu avant la fermeture. Un seul guichet est ouvert, devant lequel le premier client murmure des chiffres cabalistiques à une caissière qui acquiesce silencieusement. C'est un homme jeune et mince pour qui le beau est important, cela se voit à la façon désinvolte dont il s'habille et regarde les gens immédiatement là où ils ont des choses qui comptent. Il est metteur en scène au théâtre, un espace sacré que l'argent ne fréquente guère, mais qui débouche parfois, lorsque comme lui on a du pif et de la poigne, sur des horizons télévisuels qui dispensent des chèques à cinq chiffres sans décimales. Il se tient prêt. Dans ce quartier où il vient d'emménager avec son chum acteur, le fumet de la réussite flotte dans l'air, n'attendant que d'être humé par quelqu'un qui se tient prêt.

Le deuxième client, debout sans aucun relâchement dans les genoux ou le pantalon, est un homme aussi, moins jeune et plus classique. Il est endodontiste depuis quelques années déjà, il a des dettes à la mesure de ses moyens et une famille qui s'occupe d'augmenter les unes et de grignoter les autres avec une régularité sans faille. À force d'œuvrer dans les traitements de canal, de sectionner l'infiniment petit et de traiter l'infiniment pourri dissimulé sous des apparences respectables, il a acquis, avec le désabusement, un respect scrupuleux de la minutie et de l'ordre. Il ne fait jamais attendre ses clients et il apprécie qu'ici au moins on ne le fasse pas attendre : voilà qu'un autre guichet s'ouvre à son intention et qu'il s'y dirige lestement sur ses semelles spongieuses de qualité.

La dame qui demeure seule en attente a cette beauté obstinée qui tentera d'être jusqu'à ce que le corps tout entier ne soit plus. L'on ne voit pas les rides et les cheveux blancs qui existent quelque part sous les fards et les onguents parfumés, l'on ne sent pas l'ardeur du combat engagé contre le temps tellement les armes sont subtiles. Cette dame est propriétaire d'une agence de voyages dans le quartier. Elle met en chiffres les rêves des autres et sait parler du Caire comme d'autres parlent des Laurentides. Elle voyage beaucoup. Hélas, elle s'ennuie horriblement aussitôt qu'elle met les pieds hors de chez elle, mais son thérapeute l'assure qu'il ne s'agit là que d'une transition ombilicale qu'elle parviendra tôt ou tard à assumer.

La porte s'ouvre.

Il entre.

Il, c'est-à-dire lui, le voleur, le truand, le sans aucun doute dévaliseur de coffre-forts.

Il a ce glauque dans le regard qui ne trompe pas, la démarche évasive de quelqu'un qui en a pesant sur la conscience. Il a des bottes de travailleur, recouvertes de saletés innommables, des jeans trop ajustés, délavés comme ce n'est plus la mode depuis longtemps. Son chandail étriqué laisse filtrer un morceau d'abdomen crayeux, nourri probablement à la bière. Il est jeune mais il a eu le temps d'attraper une gueule fourbe, surmontée de cheveux mous et d'un front qui fuit déjà sous la débâcle, une sale gueule.

Il s'approche. Bientôt il sera tout à fait dans l'aura parfumée de la dame, à machiner derrière son dos élégant quelque abomination criminelle, en feignant d'attendre son tour. La dame blêmit et ferait pire encore peut-être si un troisième guichet ne venait miséricordieusement s'ouvrir pour elle, laissant le sale type dans la file inexistante, isolé, au centre de tout, des regards et des montées d'adrénaline.

Le cou Modigliani du directeur se hausse d'un centimètre dramatique, les caissières attrapent dans les doigts une nervosité qui les rapproche du bouton d'alarme, le jeune homme de théâtre se demande s'il plongera sous le guichet ou jouera pour la postérité le rôle héroïque de sa vie, le spécialiste en dents creuses adresse mentalement à sa femme et ses enfants une déchirante lettre d'adieu, la dame se dit qu'elle ferait mieux de ne sortir aucun argent liquide, l'agent de sécurité pose sa main sur l'arme blottie contre sa cuisse.

Pendant ce temps, seul comme une plaie au milieu du visage, lui, le malfrat, le requin juvénile, laisse vaguer son regard fuyant devant, tandis qu'imperceptiblement ses doigts coulent vers la poche intérieure de son chandail pour en ramener une arme, un couteau, une bombe, imperceptiblement mais sous les yeux de tous, il sort un paquet de cigarettes.

Il en allume une. On voit ses doigts à la pleine lumière, ils sont sales et tachés de rouge, du sang, non, de la peinture, rouge comme sur ses bottes de travailleur, car ce n'est qu'un travailleur, un travailleur sale qui fume.

Il fume, dans cette banque où, comme je disais, un authentique Edmund Alleyn avoisine un estimé Riopelle, où la cigarette a été bannie depuis des lustres avec le consentement de tous, car ce n'est même plus une question de snobisme, c'est une question d'évolution : l'*Homo postnicotinus,* le plus glorieux maillon de cette ère quaternaire, soigne sa forme et ses REÉR, fait du jogging sur le mont Royal, descend le moins possible en bas, rue du Parc, parmi la racaille où se fomentent les cancers du poumon et où pullulent les bactéries.

Et la tension accumulée, la peur de mourir et d'être spolié de ses avoirs les plus essentiels se transforme subitement, devient de la colère froide, rampante, dirigée sur le bout incandescent de cette cigarette hors-la-loi.

Il capte les ondes hargneuses, malgré son primitivisme, il s'empresse d'éteindre contre sa semelle, n'ayant pas reconnu le cendrier dans la potiche élégante qui trône au milieu de la pièce. Il s'achemine, les épaules rentrées, vers le guichet que vient d'abandonner l'apprenti metteur en scène. Sa voix est de même nature que son regard — fuyante, en rase-mottes, peut-être tout simplement intimidée.

— C'est pour changer un chèque, dit-il.

Il prononce « tchèque », en tendant un papier proprement plié en deux. La caissière le prend sans hâte, entre l'index et le pouce. La dame et l'endodontiste font mine de ne pas écouter ce vers quoi toutes leurs ouïes se tendent ; le jeune homme de théâtre reste proche, pour ne rien perdre des possibilités dramaturgiques de la scène.

— Avez-vous un compte ici ? demande la caissière avec la lassitude d'une personne à qui on impose des questions aux très évidentes réponses.

— Non, bredouille-t-il.

Et comme elle fait mine de lui remettre le papier, il se défait, il pâlit, cet argent est le sien, il l'a gagné, toutes les taches rouges de ses vêtements de travailleur attestent à quel point il l'a gagné, sa voix enfle, ridicule, emportée comme chez quelqu'un qui n'a pas appris à maîtriser ses pulsions primaires,

« Le tchèque est bon, clame-t-il, chus sûr qu'il est bon, ça vient de la grosse maison juste à côté, un architecte, c'est sûr qu'il est bon!… »

La caissière lui tend le chèque, sans mot dire, sans l'avoir même déplié. Tous les regards sont sur lui, impitoyables comme la justice.

Il reprend le chèque. Il comprend. Le chèque est bon, sans nul doute. Ce n'est que lui qui ne l'est pas.

LEÇON D'HISTOIRE

Je suis assise dans l'antichambre du théâtre de Quat'sous où s'entassent les spectateurs allumés par l'attente. J'écoute exploser ici et là les prologues inachevés, les courtes pièces-avant-la-pièce qu'aucun projecteur ne vient arracher à la clandestinité. Deux voix s'imposent dans l'effervescence, deux voix d'hommes derrière moi se lancent le même mot comme un mantra irrité, comme un projectile impuissant à atteindre sa cible : *Montréal, Montréal, Montréal.* Le Montréal de l'un est accusateur, pointu, avec un accent qui jappe vers la fin : *Vous autres à Montréal, il n'y en a que pour vous à Montréal.* L'autre roule complaisamment le *r* de Montréal dans de la salive caressante, aimante : *Oui, nous à Montrréal, c'est vrai que tout se joue à Montrréal.* L'escarmouche se déploie avec élégance, légère mais essentielle, elle réchauffe les muscles cérébraux des guerriers culturels, elle est un Nautilus préparatoire à des pugilats plus héroïques qui pourraient advenir, elle maintient le verbe d'attaque, toujours brandi et dur.

Montréal accapare les subsides culturels de l'État les peintres de Montréal les écrivains de Montréal les dramaturges de Montréal raflent tout l'argent institutionnel comme s'il n'existait pas de créateurs en dehors de Montréal Montréal veut tuer les régions autres que Montréal Montréal Montréal. Montrréal a besoin d'aide votre survie dépend de la survie de Montrréal toutes les régions devraient spontanément encourager et vivifier la culture à Montrréal au lieu de se sentir si petitement jaloux de Montrréal c'est à Montrréal que se joue le test de la survivance du fait français rien qu'à Montrréal Montrréal.

J'entends soudain une voix de femme, menue et miraculeusement audible, se frayer un passage dans l'interstice de silence entre deux *Montréal*. Que dit-elle? Une courte phrase, modeste, un peu indifférente : *Le même débat doit exister à Paris, à Toronto, dans toutes les capitales culturelles.*

Cela mérite un regard. Il suffit de tourner ma chaise, comme au théâtre expérimental.

L'un des hommes est assis. L'autre est debout. La femme est assise entre les deux hommes. Les deux hommes sont habillés en hommes, veston et pantalon couleur d'automne détrempé. La femme est habillée en fleur, épanouie et éclatante comme en saison de pollinisation. Elle regarde fréquemment l'homme assis à côté d'elle, *Montrréal,* elle est amoureuse de lui sans aucune dissimulation.

Les deux hommes reprennent l'exercice de la discussion, les mots naviguant en diagonale au-dessus d'elle, la traversant de part en part brutalement lorsqu'ils choient trop bas. Maintenant, c'est le mot *Québec Québec Québec* qui tournoie dans les airs et bondit et revient, pas la ville, le pays — *pays en devenir future terre de nos futurs aïeux,* dit l'un, *pays utopique ridicule à force d'abstraction,* dit l'autre, *Kébek Kébek Kébek.* Elle se tient immobile un moment, irradiée des deux côtés et devenue transparente, puis elle bouge, lentement. Elle a un geste merveilleux, elle lève ses bras nus sous prétexte de s'arranger les cheveux, et elle les laisse là, dressés comme un pont-levis, offerts à l'amour, à la passion, à ce qui palpite au lieu d'ergoter, elle les offre telle une distraction vitale pour recentrer l'homme sur lui-même, tous les hommes, surtout l'homme assis à côté d'elle, *Montrréal-Kébek.*

Les corps parlent mieux que les mots, mais il faut déchiffrer ce qu'ils disent, alors qu'il est si facile d'écouter les mots planer fort et occuper tout l'espace, *Kébek doit parvenir à imposer le désir du Kébek à tous ceux qui immigrent au Kébek Kébek doit retrouver sa fierté pour la propager hors du Kébek la seule façon est de faire un pays du Kébek*

Kébek mission impossible Kébek cause puérile et aveugle Kébek terre ingrate et petite misérabiliste à quoi bon chapeauter d'un nom de pays Kébek la même pauvreté culturelle qu'avant que demain que toujours Kébek Kébek.

Elle rengaine ses bras nus et son geste d'amour inutile, elle fait disparaître son corps offert dans une veste de tweed, et profitant d'un espace libre pendant qu'ils reprennent leur souffle, elle dit simplement: *Entrons maintenant, la pièce va commencer.*

Ils passent près de moi comme si rien de grave n'avait été commis, elle poignardée et eux coupables d'un crime. Nous allons nous asseoir devant la scène. Monstrueuse est l'Histoire et monstrueux le politique, monstrueux sont les maîtres d'un monde qui ne voit pas l'amour. Nous allons nous asseoir devant une scène, pour imaginer un instant que la vie gagne toujours.

RUE SAINTE-CATHERINE

Le meilleur endroit pour quêter, rue Sainte-Catherine, c'est sous la grosse sculpture à côté du complexe Desjardins, qui ressemble à un cheval volant ou à une chauve-souris à deux têtes selon la quantité de gin blanc avalée. Là, il y a de l'espace, de l'intimité et de la visibilité en même temps, et surtout un toit pour se protéger de la pluie ou du soleil, même si le soleil est rarement un problème à Montréal. De belles phrases sont gravées sur les parois (« La société de demain appartiendra tout entière à ceux qui savent s'unir », « L'union pour la vie plutôt que la lutte pour la vie », « S'unir pour servir »), ronronnantes comme des sentences de mononcles dans des partys de familles que tu n'as jamais eues. C'est une vraie bonne sculpture aussi confortable qu'un début de maison, et si je rencontrais l'artiste qui l'a faite, ça ne me gênerait pas du tout de lui serrer la main.

C'est mon abri à moi, tout le monde le sait, même le sournois de Pou qui vient de me le piquer.

Ce Pou-là a tout de la méchante vermine, la petite face fouineuse, la façon de se trémousser comme s'il avait le ver solitaire, l'hypocrisie, surtout. Ce n'est même pas un vrai itinérant, je le vois presque tous les jours sortir de l'UQAM et se braquer au coin de la rue, arrogant comme un fils de riche. Il tire une flûte de son sac d'école, il se trémousse pour faire oublier qu'il joue comme un pied, et fouille-moi pourquoi, les clients se ruent dans sa direction. Il doit apprendre ça à l'université, comment manipuler le monde et détourner les vingt-cinq cents, maintenant qu'il n'y a plus de jobs ils donnent peut-être des cours sur la manière la plus ratoureuse de quêter.

Quand j'ai vu le Pou insolemment installé à ma place, il y a quelqu'un en dedans de moi qui s'est mis à rugir. Quelqu'un en dedans de moi l'a accroché par le collet, l'a secoué jusqu'à ce que tous les plombages lui tombent des dents et l'a propulsé au nord de Bleury en vol plané sur les fausses notes de sa flûte. Je le connais bien, ce quelqu'un-là, c'est le même qui compte autant de buts à l'université que sur une patinoire de hockey, c'est celui qui arrache de la musique non pas à une flûte d'enfant d'école, mais à un sax de grand dieu nègre, et il joue si bien quand il joue du sax, il joue jusqu'à ce que les passants s'arrêtent et lui versent en guise d'argent l'or de leurs larmes. Je le connais bien, ce quelqu'un-là. Il est mou comme un fantôme, il s'évanouit juste au moment où tu crois l'apercevoir, et même le meilleur des gins blancs ne parvient pas à le faire sortir d'en dedans.

Je n'ai rien dit à la vermine de Pou, qui est plus jeune et plus costaud que moi, et j'ai remonté à l'est de la rue Sainte-Catherine pour me trouver un autre endroit.

La concurrence est déloyale, dans l'est de la Sainte-Catherine, un autre genre de charité arrête les clients et leur donne envie de prendre plutôt que de donner. Entre L'Ultra Sexe, Le Club Sexe, Le Pussy, La Calèche du sexe, Le Club 281 et les belles petites poules près de la rue Berger, ta misère a intérêt à montrer une face bien exotique pour attirer les regards. Mieux vaut dépasser la rue Saint-Denis et s'installer dans le petit parc avant Berri, pour essayer de grappiller quelques clients qui sortiraient d'Archambault Musique avec encore un peu de monnaie dans leurs poches. Là aussi, la concurrence est déloyale. La maudite UQUAM répand partout des amas de jeunes poux qui jouent aux quêteux entre deux cours, le temps de se ramasser assez d'argent pour acheter un char avant l'été.

Un beau 9 juin comme celui-ci, un soir de finale de la coupe Stanley en plus, les spectateurs en sortant du Forum auraient sûrement marché jusqu'à ma sculpture, auraient partagé avec moi la victoire ou la défaite des Canadiens. Je cale ma rancœur avec ce qui me reste de gin blanc, je maudis l'Est d'où rien ne peut venir et le Pou que j'étranglerai demain matin.

Bien avant dix heures du soir, j'entends des klaxons de voitures et des hurlements de joie descendre Saint-Denis, et je sais alors que nos Glorieux sont sur le point de lessiver les Kings de Los Angeles. Ça me fait plaisir, sincèrement, même si le hockey est devenu pour moi quelque chose de très lointain, une cacophonie étrange brouillant l'écran de télé du Poulet doré lorsque le patron me permet de dévorer un casseau de frites. Mais tu n'es plus un homme si tu ne gardes pas un restant de fierté pour les Canadiens.

Bientôt, les premières autos débouchent sur Sainte-Catherine dans un vacarme de klaxons triomphants, et je vois bien que j'ai eu tort de m'en faire. Ils viennent jusqu'ici, jusqu'à moi dans mon coin de parc, et par les fenêtres grandes ouvertes d'où dépassent des chandails tricolores et des têtes qui crient, ils me lancent des poignées de pièces. Ce sont des jeunes, de braves jeunes, que le bon Dieu préserve éternellement la belle jeunesse et les fantastiques Canadiens. Il en vient d'autres, d'autres voitures et d'autres klaxons et pleins de braves jeunes gens sortis à moitié des portières, brandissant des chandails numéro 33 et des mannequins de John LeClair et de Paul DiPietro et des photos de Patrick Roy l'œil à moitié fermé comme un espiègle bouffon. Au-dessus des capots flottent comme dans un vrai défilé des ballons rouges gonflés à l'hélium sur lesquels il y a d'écrit 4 à 1 qui doit être le score de la partie, et bientôt des piétons déferlent de partout et le Forum n'a même pas commencé à se répandre à l'extérieur. Oh, c'est un grand soir de fête, je n'ai qu'à m'avancer sur le trottoir les bras levés comme eux pour recevoir une pluie de vingt-cinq cents et de dollars, je crie : « Vive les Canadiens », et ils hurlent en chœur : « Vive les Canadiens », quelle belle famille heureuse et généreuse nous formons tous ce soir, quel soir exceptionnel, quel joli soir de juin.

Je ne sais pas quand exactement ça commence à se déglinguer. Il y a des limites, j'imagine, à ce que la Sainte-Catherine peut contenir de joie et de personnes, ou peut-être que la joie elle-même se retourne de bord comme un chat enragé quand elle est trop forte. Déjà ça ne peut plus augmenter, la masse de visages et de voitures, et pourtant ça augmente toujours, ça devient une houle de triomphe grimaçant qui lâche des cris de guerre. Quand je crie « Vive les Canadiens! », deux grands gars tout nus sous leurs chandails des Canadiens s'arrêtent devant moi et me pissent dessus du haut de leur décapotable. Toutes sortes de projectiles sont lancés d'un trottoir à l'autre, une bouteille de De Kuyper, vide évidemment, vient me frôler la tête. Ça joue trop raide pour moi, je recule au fond du parc.

Et puis la musique commence. Une musique de cristal, partout rue Sainte-Catherine, une grande symphonie de vitres brisées écrasant toutes les autres voix. Je ne comprends rien de ce que je vois. Omer Desserres, le pavillon Hubert-Aquin, Le Poulet doré, Archambault Musique, toutes les façades explosent, soufflées par des tempêtes habillées en Canadiens de Montréal. Des sonneries d'alarme se déclenchent, une voiture de police brûle comme si on était dans un pays affreux où il y a la guerre. Je regarde les nuées de jeunes gars s'abattre sur les commerces en hurlant et en riant et je n'ai jamais rien compris à ce point-là. Je ne comprends pas pourquoi ces petits poux qui ont des chars et des maisons pour aller dormir et des blondes pour les tenir au chaud ont besoin de lancer leur triomphe dans les vitrines comme des roches, pourquoi c'est eux avec leurs chambres pleines de beaux vêtements et de disques compacts qui entrent dans les magasins défoncés et prennent tout, pourquoi c'est eux plutôt que moi.

Quand je vois le premier gars sortir de la façade éventrée d'Archambault Musique avec une guitare, une chose qui brille comme une lune même si la nuit est complètement noire, je traverse la rue Berri en courant et je franchis les montants ébréchés de la porte, je marche dans le verre pilé et sur n'importe quoi qui gît par terre même si ça se plaint, je marche jusqu'où il y a des instruments qui luisent dans l'obscurité, au deuxième. Le premier sax que je touche se cale aussitôt dans le creux de mes mains, comme s'il me reconnaissait.

C'est pour ça que vous ne me trouverez plus en dessous de ma sculpture à côté du complexe Desjardins. Je l'ai abandonnée au pauvre Pou, qui tire toujours de sa flûte des sons lamentables. Moi, je suis plus à l'ouest rue Sainte-Catherine, au coin de University, caché par une foule de spectateurs. Je tiens mon sax à bout de bras, à moins que ce ne soit lui qui me tienne. Quelqu'un joue en dedans de moi, quelqu'un joue si bien que tous les passants s'arrêtent même s'ils n'entendent rien.

BABY

Depuis que tu l'as rencontrée, tu vas marcher près d'elle chaque semaine, et à chacun de tes pas s'effiloche un peu de ton innocence.

La piste vers elle démarre ici, dans ce segment du boulevard Mont-Royal qui ne s'appelle pas encore chemin de la Forêt. Tandis que tu franchis l'invisible frontière entre Montréal et Outremont, ce n'est pas toi qui quittes la ville, c'est la ville qui se retire sur la pointe des pieds pour ne pas troubler la quiétude de l'opulence. Des maisonnettes campagnardes dévisagent avec outrecuidance un boisé, en face. Tu t'immobilises un moment, toujours, pour saisir sur le vif ceux qui habitent ces maisons, lire dans leur regard ou leur façon de mastiquer le secret de la réussite. C'est là, plus que partout ailleurs, que tu te sens assaillie par des pensées envieuses, mais cela est une autre histoire. Tu traverses le boulevard Mont-Royal. Tu entres dans le boisé par un sentier qui a gardé des allures claudiquantes de chemin de bûcherons. Voici ce qui se passe quand tu entres dans le boisé : les pensées envieuses trébuchent sur leurs propres méandres, le fantôme de la réussite est plaqué au sol comme un vaincu. Tu avances dans le boisé, légère et détachée, en état de liberté dangereuse.

Les êtres humains n'abondent pas, ici. Parfois, tu sais qu'il en est venu un à cause des crottes de chien dans le sentier : les chiens ne viennent jamais seuls, sans être humain arrimé à l'extrémité de la laisse. Tu détournes les yeux lorsque surgit en face de toi l'un de ces couples, ou tu regardes le chien. Certains chiens parviennent à faire oublier l'inesthétisme de leur maître.

Ici, les écureuils fuient la domestication. L'hiver, des pistes de lièvres dessinent des marbrures amusantes sur la neige. Des escadrons de corneilles, de mésanges, de mainates et d'oiseaux que tu ne connais pas s'agitent dans les arbres. Voilà pour les bêtes visibles. Mais ce qui règne surtout ici relève du végétal et du silence. Tu t'y sens incongrue, chaque fois, virus obstiné dans la contamination d'un corps sain, mais à mesure que le boisé se referme sur toi, tu te dépouilles de tes peaux usinées et tu reconnais des membres de ta famille essentielle dans ces racines et ces troncs qui émergent du sol. L'évidence t'arrive, rafraîchissante, c'est de cette terre meuble que tu viens, toi aussi : les quêtes sans fondement pourraient donc s'interrompre maintenant, tu jetterais ta vie comme un produit manufacturé si cette conviction de tes origines n'était pas si précaire, si menacée d'extinction quand la ville te reprend.

En mai, le boisé devient d'un blanc total, submergé d'anthrisques qui portent leurs fleurs en ombelles. Les anthrisques ont une présence foisonnante et drue, niée par la plupart des dictionnaires. Leurs feuilles dentelées comme celles du persil restent luisantes l'année durant. Des propriétés narcotiques et suspectes se dissimuleraient dans le parfum tiède qu'elles exhalent. Tu sais beaucoup de choses comme celles-là, des choses qui ne présentent rien de socialement utile et que tu ne parviens jamais à glisser dans les conversations.

La route vers elle est chargée de signes que tu n'as pas encore appris à déchiffrer. Par exemple, il y a plus loin deux érables couchés dramatiquement près du sentier, en X ou en croix selon l'angle où leurs carcasses énormes t'apparaissent. Ils sont emmêlés de telle façon qu'on croirait à un suicide, à un crime passionnel. L'un de ces arbres a une blessure béante à la base, si profonde que des êtres inquiétants doivent y séjourner, chouettes ou harfangs, minotaures nocturnes, sauriens disparus depuis des millénaires. Un jour, tu as interrogé le cœur de l'arbre avec une lampe de poche. Tu n'y as rien trouvé, tu n'as entendu que le bruit que font les bêtes mythiques lorsqu'elles détalent loin des regards raisonnables.

Arrive un moment, dans le sentier, où une clôture grillagée te rappelle que la civilisation reste immédiate, tapie à côté de toi. Tu longes la clôture vers la gauche, en enjambant des renouées qui se tortillent sous tes pieds. Tu escalades une courte barrière, et te voilà presque arrivée. Un chariot de fleurs coupées est renversé devant toi, comme pour t'accueillir. Tu sais qu'elles ne te sont pas destinées, mais tu en prends une au hasard, un œillet carminé que l'on a ceint grotesquement d'une grosse boucle.

Oui, tu es dans un cimetière. Les cimetières ressemblent aussi à des parcs délaissés et calmes. Tu peux errer dans celui-ci les yeux captivés par les ifs, les chênes, les pivoines éblouissantes, les lilas doubles, tu peux choisir d'ignorer ce qui est minéral et qui fait peur. Les pierres se font discrètes, ici. Les inscriptions s'effacent à mesure. Tout cela pourrait n'être qu'une mise en scène.

Même le crematorium affecte une bonhomie de résidence bourgeoise; l'on s'attendrait à y voir jouer des enfants et des épagneuls, dans le tintement des cocktails et des rires de jeunes femmes. Il a fallu qu'un jour les portes se trouvent ouvertes et que tu aperçoives les fours nickelés, étincelants de propreté et d'usage fréquent, pour considérer l'édifice avec un respect neuf.

La plupart de tes morts se tiennent encore devant, dans un avenir que tu sais aliénable, tu n'as pas été atteinte par la douleur que te feront tes immédiatement proches, tes chéris, ceux qui ne te veulent pas de mal. Deux ou trois d'entre eux t'échappent peu à peu, tu les verras s'évanouir bientôt dans l'irrémédiable, et il n'y a pas de cuirasse qui tienne, pas de compartiment pour stocker les détresses à venir afin de les apprivoiser calmement.

La première fois que tu es venue ici, tu arborais une candeur de touriste, tu lisais les inscriptions des pierrres comme on regarde défiler les génériques au cinéma, tu comparais les stèles et les styles, tu souriais de la désuétude des patronymes anglophones : Chiniquy, Proctor, Muckle, Pease, Dansken, Preby… De vieux morts, éteints pour la plupart avant le xxe siècle, à l'humanité émoussée et improbable.

Ce n'est que l'année suivante que tu l'as rencontrée. Tu revenais du buton est du cimetière, tu descendais du plateau qui permet d'embrasser d'un regard lucide la grisaille de Montréal lorsqu'il est tronqué de son fleuve et de ses gratte-ciel. Tu marchais lentement. Autrement, tu n'aurais pas pu l'apercevoir, une plaque rencognée timidement dans la terre, une pierre de mauvaise qualité à l'inscription un peu baveuse. BABY, mai 1947 — janvier 1952.

Rien de plus. Pas de nom, aucune trace d'appartenance à une lignée vivante ou anéantie, ce tertre minuscule et cette inscription succincte sur du similigranit. Un rosier, cependant. Un rosier qui produit des fleurs jaunes, tu le sais maintenant.

C'est la jeunesse qui t'a troublée sans doute, le gaspillage injustifié, c'est l'anonymat et les images de l'enfance incompatibles avec le symbolisme pesant des deuils. C'est le moment précis où cela s'est terminé. 1952.

Il fallait vivre, cette année-là, le monde remuait telle une sculpture de glaise en devenir, les femmes grecques obtenaient le droit de vote, un avion franchissait pour la première fois le mur du son, l'Allemagne de l'Est érigeait contre les tentations un rideau de fer, Hemingway hissait de ses profondeurs océanes *Le Vieil Homme et la Mer*, François Mauriac et Albert Schweitzer recevaient des prix Nobel, André Gide était mis à l'index, le cinéma crachait sur les écrans des chefs-d'œuvre intemporels : *Jeux interdits, Casque d'or, Manon des sources, L'Homme tranquille, Le train sifflera trois fois*... Et toi tu venais au monde, ne l'oublie pas, tu venais au monde en janvier dans la persuasion d'être éternelle.

C'est cette coïncidence qui t'a affligée, surtout : les âmes s'échangent-elles comme des jeux de cartes, certaines doivent-elles choir pour que d'autres lèvent de terre ?... Tu n'as pas pu t'empêcher de croire qu'elle a pour toi laissé la place vacante, ce janvier-là, pour toi rigoureusement.

Tu reviens voir Baby, depuis, tu marches chaque semaine vers elle en te disant qu'elle attend ta visite et en admirant les choses fastes que la terre fait croître pour se faire pardonner de nous reprendre.

Tu penses à elle au féminin, toujours, tu sais que Baby est une petite fille enfouie sous l'inexistence. Rien de macabre ne t'envahit, le temps t'entraîne avec lenteur dans le boisé indigène où tu respires un oxygène imparfait mais réel, la lumière a quelque chose de dansant et d'immortel tandis que tu serpentes entre les genévriers et les hêtres du cimetière Mont-Royal, tu déposes sur le tertre minuscule la fleur-déchet que tu as dérobée au crematorium, cette fois-ci un œillet, tu zigzagues deux fois autour de la pierre pour qu'elle reconnaisse bien ton pas et qu'elle t'accompagne. Ce n'est qu'après, lorsque tu sens l'ombre de Baby palpiter derrière toi, que tu commences le Jeu.

Il s'agit d'un jeu inventé pour elle, pour tordre le cou aux regrets sournois. Tu l'as appelé Jeu de l'Extrapolation. Les règles en sont simples, un unique accessoire est requis. L'âge du Joueur importe peu ; celui de l'Accessoire, par contre, est immuable. Le Joueur et l'Accessoire doivent être vivants : toute autre qualité s'avère précieuse, mais non indispensable. Un Joueur imaginatif doublé d'un Accessoire distrait constituent le meilleur tandem possible ; mais là comme ailleurs, la perfection n'est pas obligatoire.

Ton Accessoire à toi est une femme d'environ quarante ans, n'importe quelle femme. La première partie du jeu consiste à la trouver, dans l'immensité du cimetière, puis à la suivre discrètement en échafaudant des déductions. Le jeu s'achève quand l'Accessoire quitte le cimetière subitement ou quand il se retourne vers toi pour te lancer des regards offusqués ou des imprécations. Les Accessoires ne savent pas que tu es en train de jouer avec eux : certains se montrent particulièrement irascibles. Le but du jeu est d'imaginer, à l'aide des Accessoires vivants, toutes ces femmes brûlantes, éteintes ou désarçonnées que Baby aurait pu être.

La première femme que tu as observée paraissait beaucoup plus âgée que ses quarante-deux ans et se déplaçait avec une lourdeur minérale. Ses vêtements n'étaient pas bien coupés, un pan de son imperméable flottait à sa gauche tel un reflet. Elle portait un parapluie sous le bras, en dépit du ciel découvert. Elle ne se promenait pas, elle savait où elle allait et pourquoi et la quantité de temps que nécessiterait ce déplacement. Il n'y avait pas d'espace en elle pour la flânerie ou le luxe des gestes gratuits. Elle ne s'est pas tournée pour humer la branche du seringa qui lui faisait obstacle et dont l'odeur est pourtant affolante. Plus loin, elle a sorti un mouchoir en papier et elle s'est mouchée avec brusquerie, empêtrée dans son parapluie, immobilisée mais pas tout à fait, comme agacée par ce ralentissement soudain qu'elle n'avait pas choisi. Elle a plié soigneusement en quatre le mouchoir usagé et l'a glissé dans sa manche droite.

Tu n'as pas été étonnée de la voir s'arrêter dans la partie nord du cimetière, là où les arbres sont rares et rabougris, devant un alignement de petites pierres toutes semblables, fleuries de roses jaunes plastifiées. Duplex en miniature, dans un paysage propre de banlieue. Ses morts à elle étaient des Teriazos. Elle a tiré son mouchoir de sa manche et a frotté la pierre, avec un sentiment d'appartenance énergique. Elle a gratté méticuleusement la terre qui s'était tachetée de feuilles mortes. Tu l'as très bien vue tandis qu'elle dérobait une fleur à la tombe voisine, mouvement précis et matois, brillance enfantine dans le regard.

Tu n'as eu qu'à fermer les yeux pour entendre ses enfants qui se bagarrent, ils sont trois, des garçons qui dévorent tout ce qui est comestible, c'est l'âge, et qui écoutent la télévision à des décibels ahurissants. Il y a un homme à côté d'elle, parfois, tard le soir et les fins de semaine, et il l'appelle « Baby », mais « Baby » comme on dit Maria ou Teresa ou comme on dit « donne-moi encore du poisson » et « où elle est, ma chemise ? »... Cette Baby-là porte un visage figé par la servitude et des jambes trop maigres pour la corpulence qu'elle leur inflige, mais elles vont, elles s'époumonent dans toutes les directions, ses jambes, elles font dix fois le tour du monde en une année même si elles ne sont jamais retournées en Grèce. Tu entends aussi le hurlement à l'intérieur d'elle, c'est un hurlement qui grisonne à force de ne pas sortir, qui étouffe dans son silence tout ce qui était vivant et souriant, avant, il y a si longtemps, avant.

Tu as interrompu le jeu avant ton Accessoire, cette fois-là, tu as quitté le cimetière la première.

Un autre jour, alors qu'il faisait très beau, tu as suivi une jeune femme qui avait quarante-deux ans mais qui en faisait trente, ce n'est que de très près que se lisait autour des yeux un flétrissement mutin. Elle flânait en compagnie d'un homme qui lui jetait sans cesse des regards troublés; elle les lui retournait avec un léger retard, la main loyalement abandonnée, mais le visage distrait. Les vêtements de cette femme lui coulaient dans le dos comme une seconde peau; tu as remarqué de quelle façon son corps se déroulait en courbes impeccables tandis qu'elle marchait. Ils ne sont pas allés loin, jusqu'au bouleau qui domine l'un des chemins de traverse vers le buton est. C'était l'endroit propice pour se poser ou pour démarrer quelque chose de lent et de ludique : ils l'ont tout de suite compris, ils ont sorti des couvertures pour s'asseoir, des charcuteries et des bouteilles.

La femme ne s'est pas assise immédiatement. Elle a tourné un peu autour de l'arbre, dans le soleil et dans l'ombre, elle cherchait une position précise, elle interrogeait la lumière, le hâle de sa peau. Elle a fini par présenter prudemment sa nuque au soleil, le visage protégé mais les jambes offertes, position périlleuse dans laquelle elle s'est contrainte de rester quelque temps. Elle a fait glisser légèrement sa blouse sur l'épaule, pendant qu'il découpait le pain, puis elle s'est ravisée et a plutôt détaché quelques boutons, là où des roses jaunes se croisaient joliment sur son ventre. Et tout le temps du lunch, tandis qu'il lui murmurait des choses tendres, Baby, oh Baby, tu l'as vue, parcourue de petits tressaillements d'écureuil, replacer une mèche, vérifier rapidement le maquillage de ses yeux, manger quelques fruits du bout des lèvres, repousser le pain qui engraisse, étudier la forme de ses mains et la manière dont elles se croisent.

Cette Baby-là est si transparente, c'est une femme qui ne

saura jamais traverser les miroirs, tu la vois immobile face à son reflet qu'elle épie avec une anxiété effrayante, petite Alice démunie devant le temps qui passe et les rides qui s'incrustent, tu la vois en train de galoper derrière sa jeunesse de jogging en massage en chirurgie esthétique. Elle ne célèbre plus son anniversaire depuis qu'elle sait qu'elle n'aura jamais plus vingt ans, elle court en guettant le vautour au-dessus de sa tête, elle court un masque aux concombres sur le visage et une crème émolliente sur les yeux. Et chaque jour est un jour de moins dans la jeunesse triomphante, chaque seconde ajoutée est une malédiction, chaque nuit est une prière pour que la science ou Dieu trouve une thérapie qui momifierait son corps, vivant et ferme pour l'éternité.

La dernière Baby découverte était très différente, d'une espèce moderne et motorisée qui t'a laissée dans un ébahissement admiratif pendant quelques minutes. Tu l'as entendue avant de la voir, tu la cherchais en vain dans le recoin des allées et soudain une Mercedes ronronnante te l'a déposée devant toi. Elle a bondi hors de l'auto avec un rire décidé et une rose jaune à la boutonnière, elle portait incidemment un petit tailleur sobre qui ne tentait pas de camoufler ses quarante-deux ans, elle portait surtout à bout de bras une énergie impérissable. Deux hommes la suivaient qui étaient visiblement ses subalternes, elle leur montrait des caveaux et des stèles avec une mine d'entrepreneur et ils prenaient des notes. Elle n'arpentait pas du tout le terrain comme une touriste nécrophile. Chaque pierre déplacée sous ses pieds semblait se muer en monnaie sonnante. Tu n'as jamais su de quelle nature était son travail, mais tu as su immédiatement qu'elle le faisait très bien.

Sa voix était celle d'une femme qui connaît la vie et le pouvoir, qui se souvient de la hauteur rébarbative de chacun des échelons qu'elle a dû gravir. La fin de ses phrases ne se diluait pas dans ces inflexions suppliantes dont se servent souvent les femmes pour quémander l'approbation. Elle disait : vous me noterez ceci, vous me mesurerez cela, à combien estimez-vous que, et les hommes réagissaient avec promptitude, les hommes lui témoignaient le même respect qu'ils auraient eu pour un des leurs, exactement le même, débarrassé du poids des coquetteries et des séductions.

Elle n'est pas restée longtemps, elle avait beaucoup à faire, une surveillance d'ingénierie quelque part à Toronto, c'est ce qu'elle a lâché soudain en regardant sa montre numérique. Son regard affairé t'a survolée comme une quantité négligeable alors qu'elle remontait dans sa Mercedes dont le moteur n'avait pas cessé de tourner.

Celle-là te plaît bien, elle boit des apéros aux bars des grands hôtels, elle mange des sushis en regardant le soleil se coucher sur les capitales européennes, elle a des amants parfois plus jeunes qu'elle et parfois plus vieux, son esprit ne s'est pas encroûté dans les servitudes, la vie déroule sans cesse pour elle des zigzags lustrés et étonnants. Mais pourtant, vois comme les choses de l'existence restent toujours imparfaites, observe-la, la nuit, tandis qu'elle fait de l'insomnie dans sa suite luxueuse, à Bangkok ou Montréal, regarde-la avaler des comprimés pour le sommeil et l'angoisse. Elle fait le même cauchemar depuis quelques mois, le mot « Baby » surgit tout à coup de nulle part et l'entraîne dans une tristesse noire, elle rêve des enfants qu'elle n'a pas eus, elle les voit jouer toutes les nuits dans des parcs ensoleillés d'où elle se trouve exclue, les gestes bêtifiants dont elle n'a pas voulu — cajoler, gronder, panser le bobo, redresser le nounours tombé… — sarabandent autour d'elle en se moquant de sa carrière stérile, et elle se réveille tous les matins avec la conviction vertigineuse d'avoir été flouée.

Tu pourrais aussi parler des autres, celle qui sarcle son lopin mortuaire comme un jardin, celle qui chante à voix basse, celle qui porte des chapeaux extravagants, celle qui pleure devant la tombe de son père... Les Accessoires, certains jours, s'échappent dans toutes les directions et le Jeu de l'Extrapolation devient difficile. Tu entends derrière toi l'ombre de Baby qui se fatigue, tu la presses de questions : Aurais-tu souhaité être celle-ci ?... Celle-là te plaît-elle davantage ?... Elles sont si nombreuses, les Baby potentielles, elles endossent des personnalités si disparates. Pourquoi faut-il que chacune ait, semblablement cachée en elle, cette anxiété sans nom, cette souris sournoise qui lui gruge l'intérieur...

Chaque fois que le Jeu se termine et que tu t'apprêtes à franchir la porte gothique du cimetière, tu entends le soupir heureux de Baby qui retourne dans l'inexistence de ses cinq ans, tu l'entends qui réintègre avec soulagement le tertre sous le rosier jaune. Ce n'est rien, la mort, t'assure-t-elle. À côté de *cela,* ce n'est rien.

ROSE ET BLANC

à Marco Micone

Ne cherche pas la signature, il n'y en a pas. Tu ne pourras donner aucun visage, aucune enveloppe jetable aux mots que je t'écris, et ainsi se déposeront-ils un à un dans ton cœur, indélogeables comme des parfums. Je suis une de tes élèves, Ugo Lagorio, et pour l'instant je ne suis que cela. Deux fois par semaine, tu m'enseignes la langue de nos ancêtres communs, et je l'apprends de la même façon que tu l'enseignes, sans nostalgie, comme on fourbit des bijoux anciens qui n'ont pas l'occasion de servir. Deux fois par semaine, c'est bien peu et c'est assez pour raviver sans relâche la première véritable conviction de mon existence : je suis la femme de ta vie, Ugo Lagorio, et nous n'y pouvons rien ni l'un ni l'autre.

Je te connais bien au-delà de ces alimentaires leçons d'italien que tu livres avec ferveur bien qu'elles t'ennuient à mourir, je connais par cœur tous les livres que tu as écrits, même les essais les plus arides, je suis dissimulée parmi les maigres auditoires de toutes tes conférences. Ne commets pas l'erreur de te méprendre sur mon compte, professore, je ne suis pas une groupie fanatique et idiote qui mouille en buvant tes paroles. Je suis une jeune intelligence abasourdie de se frotter à une intelligence sœur, abasourdie de reconnaître dans toutes tes paroles des pensées qui sont miennes, et qui l'étaient avant que tu les exprimes.

Comme toi, j'en ai assez d'être une immigrante. Comme toi, je m'insurge contre ceux qui se pelotonnent dans l'état immigrant comme dans une maladie inguérissable. Mes parents me parlent anglais depuis que je suis née, anglais et italien pour me garder immobile, cramponnée à nos familles de Saint-Léonard et au rêve américain, mes parents me souhaiteraient age-nouillée jusqu'à ma mort devant les lampions d'un pays révolu. Je suis née ici, je ne suis pas une immigrante, je veux occuper le territoire. Depuis que je sais que ce coin de terre est francophone, je refuse de m'extraire de la majorité dominante, je refuse de stagner dans les rangs des exclus, je refuse de parler anglais avec mes parents. La guerre a éclaté depuis entre nous, ils m'injurient avec les mêmes mots que notre communauté frileuse te réserve à toi et à ta liberté séditieuse, traitor racist traditrice, et je dois m'éloigner d'eux pour apprendre à livrer ce combat ridicule, seule mais accompagnée de tes livres qui maintiennent ferme mon courage.

J'écris moi aussi, Ugo Lagorio. Pour l'instant, ce ne sont que des brouillons hésitants, qui se contentent de dénuder peu à peu la langue pour en chercher la moelle, mais bientôt ce sera des romans, et je serai meilleure que les meilleurs écrivains d'ici, je serai plus francophone que les francophones de souche et bien plus acharnée qu'eux à dompter les mots jusqu'à ce qu'ils se rou-lent à mes pieds.

Ce n'est pas l'arrogance qui me fait parler ainsi, ce sont les gènes batailleurs du nouvel arrivant qui s'agitent encore en moi, en nous, professore, car ni toi ni moi ne sommes encore tenus pour acquis dans ce pays si vulnérable, tu le sais plus doulou-reusement que moi, combien de fois t'ai-je entendu publique-ment commenter les raisons de ta migration ici, combien de temps serons-nous donc appelés à justifier notre existence, com-bien de temps encore?

Ce qui nous attend, toi et moi, c'est une perspective peut-être exaltante, après tout, celle de ne jamais nous fondre dans l'homogénéité qui endort, celle d'être condamnés à sentir les aspérités de nos morceaux intimes qui refusent de s'emboîter complètement dans le puzzle.

Nous sommes des mutants, Ugo Lagorio.

Voilà le nom de ta douleur, de notre douleur.

Il y a des moments où surgit sans crier gare ce que je suis bien forcée d'appeler mon « italianité », comme une bouffée de chaleur que j'aurais envie de bouter dehors à coups de pied. Je ne sais pas ce que me veut ce fantôme irritant, moi qui ne suis jamais allée en Italie et qui ai toujours détesté les pâtes, je ne sais pas quelle partie de mon cerveau il continue de hanter, mais plus je nie son existence, plus il s'agrippe et me fait mal.

Tu le vois bien, il n'y a qu'une mutante pour comprendre une douleur de mutant.

Ce n'est pas que ta femme n'essaie pas de toutes ses forces, bien au contraire, ce n'est pas par manque d'intelligence ou de beauté qu'elle ne parvient pas à te connaître. Je l'ai vue en ta compagnie, j'ai vu à quel point elle ne peut rien pour toi. Il faut te rendre à l'évidence, c'est une femme née ici et les femmes nées ici sont polaires et acides comme les pommes d'hiver, belles mais polaires et acides, tellement éloignées de ce fantôme joyeux qui chante en toi même si tu fais tout pour l'exorciser.

Je n'ai jamais aimé les pommes. Notre fruit à nous, ce sont les figues, ne ris pas, Ugo Lagorio, les figues qui fendent au soleil et dont le jus est plus sucré que leurs pâtisseries, nous n'y pouvons rien si nous avons la mémoire des figues dans le sang et un besoin de passion qui crève de froid, mais qui survit.

Je suis certaine que tu ne fais plus l'amour avec elle.

L'amour.

Ugo, Ugo Lagorio, je répète ton nom et du feu se répand

dans mes entrailles, du feu gicle de moi et illumine ce que je touche, frontières misères tensions bancs de neige fondent à distance et se muent en lacs sacrés sur lesquels j'avance en dansant.

Voilà l'amour, celui que je t'offre et que je m'apprête à te prendre, car je te prends, je t'arrache à ta vie sans amour, je suis belle, ne t'inquiète pas, ton regard papillote quand il m'isole à travers les quarante-cinq visages de ta classe tellement je suis belle, et je ne suis pas vierge et farouche comme une Italienne, toutes mes portes sont ouvertes pour toi et ne se refermeront sur aucun guet-apens, tu seras avec moi en état de liberté dangereuse, je donnerai des ailes à tes désirs les plus lourds. Mon père est né dans le même village que toi, ça ne peut pas être une coïncidence, mon père n'a rien à voir avec toi, ne pense pas que je cherche en toi mon père, je suis une femme de dix-huit ans orpheline du passé et québécoise, je suis une femme et je t'interdis de me trouver trop jeune. Il n'y a pas d'âge pour être jeune, d'ailleurs tu l'es beaucoup plus que moi, Ugo Lagorio.

Je glisserai cette lettre dans ton casier sans qu'on m'aperçoive et j'attendrai un peu avant de te laisser me reconnaître, j'attendrai que les mots enfoncent leur pieu de velours et me préparent le chemin, je n'attendrai pas longtemps.

Nous ferons notre premier voyage ensemble ce printemps, nous irons n'importe où, dans le Grand Nord ou même en Italie, nous rendrons torrides toutes les chambres d'hôtel.

Prends garde à toi, Ugo Lagorio, je m'en viens tuer la tiédeur qui te tue.

L'ENFANCE DE L'ART

Quatre heures quarante-cinq de l'après-midi. Marie fait du stop, son sac calé comme une bête amorphe entre les chevilles. Le temps est moite, la brunante cerne de mauve les arbres du parc Lafontaine.

Quatre heures quarante-huit. Une Renault 5 blanche s'arrête devant Marie. Le conducteur se penche, il a les yeux ravagés de Ronald Reagan et un trench-coat qui a beaucoup vécu.

— Où est-ce que tu vas ? s'enquiert-il.

— Où est-ce que vous allez vous-même ? répond Marie.

Quatre heures cinquante-deux. La Renault 5 blanche roule au ralenti. La jupe de Marie, au-dessus de ses jambes croisées, n'est qu'un petit trait sombre effronté, qui n'a rien à cacher. Les yeux du conducteur vacillent dans sa direction.

— Comment est-ce que tu t'appelles ? fait-il semblant de s'intéresser.

— C'est vingt piastres, dit Marie. Sans pénétration. Vingt-cinq pour un blow job, cinq de plus si vous touchez.

Chaque fois, ça la fait sourire, elle ne peut s'empêcher de penser à des poireaux, ou à des fraises : c'est trois piastres le casseau, vingt-cinq si vous en prenez douze. Le conducteur, lui, ne sourit pas. Il est devenu terriblement rouge et troublé, il n'a pas assez de son nez pour respirer. Le silence dure l'espace d'un coin de rue.

— Où? abdique-t-il brusquement.

— Ici.

— Dans l'auto?…

Oui. Elle connaît la ville dans tous ses recoins dépeuplés, il y a un cul-de-sac paisible, près d'ici, qui ne demande qu'à être visité. Quant aux bancs des Renault 5, c'est notoire, ils s'avèrent on ne peut plus inclinables.

Cinq heures huit. La Renault 5 blanche, toutes portières fermées, dort sur un quelconque accotement d'un anonyme cul-de-sac. Le pantalon du conducteur est descendu jusqu'à ses cuisses. Le corps du conducteur, affalé comme un grand I sur le banc incliné, tressaille et chevrote par à-coups. Le sexe du conducteur est dans la bouche de Marie. C'est un petit sexe, qui semble déjà tout près d'exploser, mais qui n'explose pas. Avant de s'allonger, le conducteur a glissé une cassette de musique environnementale dans son appareil stéréo. Toutes sortes de clapotements bruissent maintenant dans la voiture, émaillés ici et là de petits cris d'oiseaux surpris. Le conducteur a fermé les yeux, il geint un peu, il doit se croire étendu dans une clairière moussue, à l'ombre d'une cascade gargouillante. Marie, elle, se tortille sur place, gênée, ça lui donne envie de faire pipi, ces sources qui glougloutent à n'en plus finir. Il y a aussi des borborygmes considérables qui proviennent du ventre du conducteur. Marie pense aux illustrations en couleur sur la digestion qu'elle a regardées récemment dans un livre, le côlon ascendant sigmoïde et descendant, le jéjunum et l'iléon, elle retient à grand-peine un fou rire intempestif, elle a toujours été ricaneuse aux mauvais moments.

Cinq heures vingt. Le conducteur éjacule dans la bouche de Marie. Cela dure trois secondes. Marie pense à du lait pur et froid, à du cream soda, aux milk-shakes à la vanille mousseux de sa petite enfance, elle pense à autre chose, mais ce n'est pas facile.

Cinq heures vingt-deux. Le conducteur pleure. Ils pleurent souvent, comme ça, après, Marie ne s'en fait pas et attend tranquillement. Que de liquides, perdus irrémédiablement. Le conducteur lui donne, sans la regarder, tout ce que contient son portefeuille, c'est-à-dire quarante-deux dollars. Il lui demande s'il peut la déposer quelque part.

Cinq heures trente-trois. Marie est dans l'escalier roulant du magasin La Baie, elle se rend au quatrième étage. Les gens, autour, ont l'air fatigué et sombre : c'est à cause du travail, ou de l'heure, ou des néons, ou de tout cela ensemble.

Cinq heures trente-sept. Marie redescend l'escalier roulant du magasin La Baie, son sac sous un bras et un gros colis dans l'autre.

Cinq heures cinquante-sept. Marie rentre chez elle. Elle mange du boudin et des pommes de terre pilées.

Six heures trente-quatre. Marie est assise sur son lit. Elle ouvre son sac, sort un livre de géographie et un livre de mathématiques, les pousse dans un coin. Elle déballe le colis. C'est un ourson blanc, en peluche, avec un museau noir et des yeux brillants. Marie prend l'ourson, se couche avec lui, collée dans sa chaleur synthétique, reste ainsi des heures, un sourire flou aux lèvres. À douze ans, c'est encore des choses comme ça qui rendent presque heureux.

LÉA ET PAUL, PAR EXEMPLE

Février 1991. Après-midi.

Il y a eu les draps, les serviettes roses et mauves, la pile de nappes brodées, l'huile de bain aux pommes vertes, la vaisselle scandinave, les flûtes à champagne, les cocottes en argile véritable. Tout y a passé, scindé en deux comme sous l'effet d'un couperet maniaque, l'appartement ressemble à un gisement de pétrole que des spéculateurs s'arracheraient. Maintenant, ils sont dans la cuisine. Elle a ouvert un placard. Il suit le moindre de ses gestes à la loupe, un regard de limier incrédule.

— On ne va quand même pas se séparer les fines herbes, argue-t-il.

— Je les prends.

C'est ce qu'elle fait. La sauge, le fenouil, le basilic, tous les bocaux qu'il a pris la peine d'étiqueter en Letraset sur vinyle argenté se retrouvent en équilibre précaire entre ses bras. Il ne proteste pas tout de suite, par égard pour les bocaux, il attend qu'elle daigne bien les déposer quelque part, elle a toujours été un peu lente.

— Pas question que tu partes avec ça.

— C'est MES herbes. C'est toujours moi qui m'en suis occupée !

— C'est moi qui les ai fait sécher, les bocaux sont à moi !

— Très bien. Je vais les transférer dans des sacs en plastique.

— Je n'ai pas de sacs en plastique !

Chien. Maudit chien. Elle tourne les mots dans sa tête, elle les palpe par en dedans, ils ont de l'étoffe, du moelleux qu'il ferait infiniment bon cracher. Elle se tait, momentanément.

— Je te rapporterai les bocaux plus tard, dit-elle.

— Non. Laisse-moi au moins le basilic. Le basilic et l'estragon.

— Tu le sais, c'est celles que j'aime le plus !

— O.K. Je garde le fenouil. Et le basilic.

— Pourquoi le basilic ? Je ne te laisse pas le basilic.

La lumière les surprend de côté et les oblige à cligner des yeux. Ils ont le visage happé par quelque chose d'âcre et de purulent, la haine les fait frissonner sur place comme des animaux estropiés.

Août 1988. Soir.

Il lui touche le bras. Délicatement, du gras du pouce, un frôlement arachnéen dont elle pourrait ne pas se rendre compte. Elle est immédiatement sollicitée par lui, des radars dorment en dessous de sa peau qui ne se réveillent qu'à son contact — c'est ce qu'elle lui dit souvent, en tout cas, avec un gros rire de gorge pour combattre l'attendrissement. Il accentue la pression sur son bras. Il sent balbutier sous le tissu toute une chaleur infiniment troublante, il glisse les doigts le long de sa clavicule et atterrit en douceur sur le bout de ses seins, cette partie d'elle qui les galvanise autant l'un que l'autre. Elle porte toujours ses seins comme des bijoux, provocants et dressés à la moindre alerte. Elle sourit on dirait pour elle-même, elle laisse choir dans l'herbe les ciseaux, les brins de persil de thym de marjolaine, elle enlève son chandail. Il lui prend les seins aussitôt, il n'a pas assez de ses deux mains pour la pétrir et lui arracher de petits cris sauvages. Elle le regarde dans les yeux puis descend vers sa fermeture éclair, elle lui frotte l'entrejambe et fait exprès de toucher tout de suite là où c'est enflé et chaud, elle lui caresse le gland comme on ausculte du velours, avec émerveillement.

Ils tombent à genoux, fauchés par ce déferlement qui les dépasse, dans les senteurs affolantes du basilic, de l'estragon, ils s'arrachent leurs vêtements. Elle est si mouillée et convulsive que sa vulve louvoie et s'échappe entre ses doigts, elle lui mange le sexe jusqu'à la garde, ils sont ailleurs et nulle part à guerroyer magistralement pour que la vie ne les lâche jamais.

— Attends, dit-elle tout à coup.

Elle le tient à distance durant quelques secondes, oui, cela est incommensurablement bon, ce moment d'avant la jouissance mérite qu'on s'y attarde, tension extrême, désir échevelé qui fait s'entrechoquer chaque particule du corps, jamais nous ne serons plus vivants et plus intenses, rappelle-t'en toujours. Il la pénètre par-derrière, elle éclate avant lui et leurs cris roulent dans le noir jusqu'à la moelle des astres.

Mars 1990. Nuit.

Elle voit trembler une étoile par la fenêtre, au-dessus du mont Royal. C'est Véga, peut-être, ou la polaire, elle ne peut pas vérifier, le ciel est mangé par les lampadaires de la ville. Elle regarde ailleurs, juste en face du lit, par exemple. Il y a une sérigraphie sur le mur, un paysage marin d'une grande sérénité dont elle ne capte, dans l'obscurité, qu'une illusion de lumière. Elle ne sait plus sur quoi fixer ses yeux pour que quelque chose de rassurant l'étreigne : les choses familières se défilent, la nuit, pas moyen de compter sur elles.

Elle l'attend. Elle s'empêche de penser qu'elle l'attend, elle se dit plutôt qu'elle fait de l'insomnie. Il aura rencontré quelqu'un par hasard, un vieux chum rescapé de son adolescence, ils auront soupé ensemble dans l'euphorie, bu deux trois quatre digestifs, il aura simplement oublié de téléphoner, ce sont des choses qui arrivent. Ou une voiture. Elle voit une voiture oblongue et rouge surgir d'une intersection, elle s'efforce de penser à autre chose, mais la voiture fait tranquillement irruption dans sa tête et suit, véloce et luisante, des méandres compliqués avant de l'emboutir, lui qui traverse toujours la rue sans regarder. Elle ferme les yeux, elle est en proie à des images de corps abîmés qui se vident de leur sang dans des corridors d'hôpital, le sommeil ne viendra plus jamais. Il est trois heures du matin.

Le téléphone sonne. Ses mains trouvent immédiatement les gestes pour décrocher, attendre.

— C'est moi, dit-il.

C'est lui. Il vit. Il ne semble pas saoul. Toute chose finit par trouver son explication rationnelle.

— Tu ne dormais pas encore?

Sa voix chevrote, comme lorsqu'il y a un malaise. Elle connaît sa voix par cœur. Du coup, l'anxiété de la mort fait place à une autre, infiniment plus sournoise.

— Écoute, dit-il. Écoute… — il lâche tout d'un trait, de peur de se faire interrompre ou de perdre le fil du discours qu'il a prémédité — je ne rentre pas cette nuit, j'ai n'ai pas envie de rentrer, n'en fais pas un drame, on en a déjà parlé, ce n'est pas grave, c'est rien qu'une nuit, dors, ce n'est rien.

C'est vrai, ils en ont déjà parlé. Ce sont des choses qui arrivent. Surtout, ne jamais mentir, ne pas partir en peur pour un incident épidermique. Ce sont des adultes. Les aventures sporadiques font souvent les couples forts.

Elle se recouche en boule dans son lit. Elle ressent un grand ébahissement, qui l'engourdit. Elle se répète cent fois, pour mater les démons grimaçants qui l'observent, ce n'est rien, dors, ce n'est rien rien.

Novembre 1989. Fin d'après-midi.
Il a acheté des fleurs. De la bruyère, des lis chinois, du mimosa, une couple d'anthuriums rouges, il est très fier de l'harmonie ébouriffée que tout cela dessine au milieu de la table. Il a placé la bouteille de Roederer millésimée au réfrigérateur, à côté du confit de pétoncles et des homards. Rien n'est trop beau, certains jours, quand le cœur barbote dans l'allégresse et qu'il voit, daltonien, de l'indigo sous la pire des pluies battantes.

Il n'y a pas d'occasion spéciale, pourtant, aucun incident spectaculaire à fêter, rien qui ne soit déjà là, inscrit dans le quotidien. Ça l'a pris tout à coup cet après-midi au travail, il s'est mis à penser à elle, à eux. Et à l'autre, surtout, qui s'en vient, galopant et fendant l'univers : ils n'en voulaient pas, théoriquement, ils ne l'ont pas fait exprès. C'est comme ça que les enfants arrivent, la plupart du temps, dans l'hébétude générale. Il a accepté qu'elle l'accepte, il n'a rien montré de sa réticence, au début. Les boires, le braillage fatidique, le surmenage garanti, l'intimité rompue, toute la vie à refaire à rebours, les inepties à recommencer par procuration, père-cigogne guignant d'un œil épouvanté les frasques du marmot (de la marmotte ?) à venir : ça l'empêchait carrément de dormir, puis il s'est fait à l'idée. Aujourd'hui, à cause de presque rien, un petit gars qui passait sous sa fenêtre en hurlant des grossièretés, il a été frappé par l'évidence jubilante, il est devenu fou et épouvantablement heureux de sa future paternité.

Il l'attend, morfondu d'amour, il LES attend de pied

ferme en riant tout seul. Quand il sera bien vieux le soir à la chandelle, sa fille lui contera des histoires interplanétaires et grivoises, son fils lui chantera d'une voix de stentor des hymnes informatiques.

Il l'entend qui arrive. Elle ouvre la porte, elle a l'air étonnée de le trouver déjà là. Elle voit les fleurs. Elle marche jusqu'à lui, frêle et claudiquante, elle lui prend les deux mains.

— Je viens de me faire avorter, chuchote-t-elle.

Il ne trouve rien à dire, un si grand chagrin semble la submerger qu'il n'y a rien à dire.

— J'ai eu peur tout à coup, dit-elle. J'ai peur des enfants.

Elle se serre contre lui, lavée par une fatigue immense, elle n'a jamais connu de démissions si cruelles, mais elle finit par se calmer, agglutinée à sa chaleur, il la berce ainsi durant des heures en sanglotant tout bas comme un imbécile.

Avril 1987. Matin.

Elle est grande, pour une femme. Il faut dire qu'elle se tient le torse très droit, un rien arrogant, elle le regarde sans ciller comme lorsqu'on prend la mesure d'un adversaire.

— Je veux de l'assurance-chômage, dit-elle.

— Mais oui. Pourquoi pas?

Il est assis derrière un bureau qui ne lui ressemble pas: des dossiers, des plantes aseptisées, une petite lampe crue qui fait très Inquisition-XXe-siècle. Il porte une chemise douce, en flanelle, et un retroussis espiègle au coin de la bouche qui lui donne l'air de rire par en dedans chaque fois qu'il parle.

— Combien vous voulez? demande-t-il.

— Mais… euh… le maximum, évidemment.

— Évidemment.

Il commence aussitôt à remplir un formulaire. Elle le regarde faire, le sourcil un peu interloqué.

— Qu'est-ce que vous écrivez?

— Les choses d'usage. Vous devriez recevoir votre premier chèque dans les semaines qui viennent.

— Vous n'êtes pas censé me poser un tas de questions avant?

— C'est vrai, s'excuse-t-il — il arrête d'écrire. Qu'est-ce que vous voulez que je vous demande?

Elle se met à rire; il fait semblant d'être très sérieux, mais il a, comme on disait, cette commissure des lèvres qui vacille irrésistiblement vers la gaieté.

— Je ne sais pas, moi, sourit-elle. Pourquoi j'ai laissé mon travail. À quelle heure je me lève. Combien de milliers de curriculum vitæ j'ai expédiés et à qui et fournissez-nous les preuves.

— Très bien. À quelle heure vous vous levez?

— Très tôt. Mais ce n'est pas pour me chercher du travail. C'est parce que je fais de l'insomnie.

— Tiens. Moi aussi.

— Vous n'êtes pas un très bon fonctionnaire, remarque-t-elle doucement.

— Je sais, admet-il. Je donne ma démission aujourd'hui.

— C'est vrai?

— C'est vrai.

Il referme le dossier, il a fini d'écrire. Elle devrait se lever, mais elle ne le fait pas tout de suite.

— Je dîne au Funambule, suggère-t-elle.

— D'accord. Moi aussi.

— Je m'appelle Léa.

— Je sais. C'est écrit dans votre dossier. Moi, c'est Paul.

— Je sais. C'est écrit sur votre bureau.

Ils se regardent, ils se sourient, très satisfaits d'eux-mêmes et de la tournure que prend la journée.

Mai 1988. Fin d'après-midi.

La vieille Renault crachote, râle, s'immobilise. Ils échangent un regard funeste.

— Ô Christ, se trouble-t-il.

— Hé oui, soupire-t-elle.

Ils sont en panne, à quelques kilomètres d'Anavissos. Autour d'eux, quelques cyprès, des lentisques rampants, des odeurs d'eucalyptus et d'oliviers sauvages, une beauté sèche et plaisamment farouche, certes, mais rien qui ressemble de près ou de loin à un garage. Ils pourraient arrêter une voiture, au passage, mais il n'y a pas de voitures qui passent — ce qui leur semblait le comble du ravissement, quelques minutes auparavant. Ils se mettent à marcher, que faire d'autre. Ils longent la côte dite d'Apollon, la mer leur saute au visage comme dans une carte postale. Soudain, un paysan, dans son champ, à côté de son âne et d'une centaine de plants de tomates. Elle court dans sa direction. Le paysan la regarde avec une impassibilité socratique fondre sur lui. Elle sort son grec du dimanche.

— *Kalimera,* commence-t-elle. Pouvez-vous me dire, *boreite na mou deite…*

Elle revient, fiérissime, avec une vespa rouillée. Le paysan a accepté de la lui louer quelques heures en échange d'une somme astronomique et de toutes ses cartes de crédit déposées en garantie — le campagnard fruste et simplet, hélas, est une espèce en voie d'extinction. Mais tant pis, il n'est pas dit qu'ils n'atteindront pas le cap Sounion avant le crépuscule. Elle tient absolument à voir s'embraser, dans les rayons du soleil couchant, les seize colonnes doriques du temple de Poséidon — elle a lu des pages mirifiques à ce sujet.

Ils cahotent sur la route en méandres. Toutes les courbes leur arrachent des hurlements de souffrance, la vespa disposant d'autant de suspension et de freins qu'une crotte d'hirondelle en chute libre. Ils aperçoivent tout à coup les célèbres colonnes, juchées sur le célèbre promontoire. Une dentelle blanche, vulnérable et éternelle, qui regarde la mer. Ils en ont le souffle coupé.

Ils grimpent jusqu'à la terrasse de marbre. Le site est d'une beauté confondante et, surtout, rigoureusement désert : que des chats en grand nombre, comme partout, et un gardien somnolent qui leur vend deux tickets. Ils s'assoient parmi les coquelicots, au-dessus du golfe Saronique, à côté du temple blanc. En proie à une béatitude homérique, ils attendent que le soleil se couche. Il scrute le ciel.

— On dirait des nuages noirs, là…

— Mais non, tranche-t-elle. Il ne pleut jamais, en Grèce.

À dix-sept heures quinze, vingt-deux autocars surgissent sur la route et vomissent, en moins de temps qu'il ne faut pour l'admettre, un million d'Allemands sur la terrasse de marbre blanc. Ça gesticule, ça criaille, ça photographie, ça sautille sur les pierres sacrées, ça attend, visiblement, que le soleil couchant vienne embraser les seize colonnes du temple de Poséidon. Ils s'écartent, pour éviter d'être piétinés. À dix-sept heures vingt-cinq, il se met à pleuvoir à torrents.

Ils réenfourchent leur vespa, tellement étouffés par les rires que même les chats, en les voyant passer, condescendent à leur lancer une œillade amusée.

Décembre 1989. Nuit.

C'est une insignifiance, bien sûr, qui a ouvert le feu. Même les conflits mondiaux proviennent, dit-on, d'une insignifiance. Souper fatidique, dans sa famille à elle. Il a ri, voilà l'erreur. Il a ri à une blague malencontreuse — perverse, soutient-elle — que quelqu'un a faite sur elle. Elle est blessée, elle se sent trahie par lui. Il allègue l'alcool — et la politesse, bon sang, je me tue à me montrer civilisé avec ta famille. Elle le traite de lâche à mots couverts. Il ne le prend pas. Ça enfle, comme la grenouille de la fable. Ils se garrochent leurs familles à la tête telles des maladies honteuses, ils trébuchent sur des mots malveillants qu'ils sont à mille lieues de penser.

Et maintenant, ils sont couchés côte à côte comme dans un grand dortoir glacé. Ils boudent. Tout redeviendrait simple si l'un des deux acceptait de se montrer vulnérable : j'ai eu tort, excuse-moi. Mais ils s'enferrent dans l'orgueil, ils refusent, pour la première fois, de céder du terrain ; d'ailleurs, ils ont oublié le prétexte qui les a dressés l'un contre l'autre. Ne subsistent que la rancœur diffuse qui les fait haleter et un épouvantable sentiment de solitude.

Il tente une ouverture, le premier, il glisse une main tâtonnante sur ses reins. Elle est tout de suite soulagée et reconnaissante, elle crève d'envie de se rouler contre lui, mais il y a une petite voix intérieure qui ricane : c'est facile, c'est vraiment trop facile, et elle redevient raide et hostile. Il n'insiste pas.

Il s'endort. Elle le regarde dormir avec amertume, pourquoi n'a-t-il pas persévéré, quelle est cette sérénité égoïste qui l'entraîne si loin d'elle, elle le regarde dormir comme on regarde sombrer le grand bateau ivre auquel on croyait énormément.

Juillet 1990. Midi.
Il l'aperçoit, debout, immobile entre deux voitures. Elle semble discuter avec véhémence. Cela l'amuse beaucoup, parce qu'ils ne sont à leur place ni l'un ni l'autre : il devrait travailler au chalet, elle est officiellement prisonnière d'un plateau de tournage. Le hasard se montre folichon, comme

toujours. Il gesticule des deux bras, il s'apprête à la héler par son nom. C'est alors qu'il voit le type blond. Le type blond était là avant, c'est avec lui qu'elle discutait, mais voilà qu'elle se penche, qu'elle l'embrasse, qu'elle lui confère soudain une fulgurante existence.

Ils marchent ensemble sur le trottoir, une déambulation anodine si ce n'était sa main à lui qui musarde à hauteur de son bras. Il suit, loin derrière, il ne peut détacher les yeux de cette main, de leurs pas qui s'accordent, de leurs épaules qui dérapent l'une sur l'autre. Ils entrent dans un restaurant. Cette fois-ci, il a très bien vu, elle s'est tassée contre lui dans l'entrée, une reptation du torse instinctive et brûlante avant de le frôler des lèvres, il le jurerait, il ne voit pas leurs têtes à cause d'une cloison qui les dissimule, mais il les imagine dans un mouvement ralenti l'un vers l'autre et cette vision romanesque est plus insupportable que le reste.

Il est posté de l'autre côté de la rue comme dans un mauvais polar, le troisième protagoniste ahuri d'une histoire passionnelle et banale, il n'a pas de revolver dans sa poche, tout juste un vieux portefeuille racorni à triturer pour faire passer l'angoisse. Une grosse femme le bouscule sans s'arrêter, il murmure : « Pardon, monsieur », il ne sait plus ce qu'il dit, ni ce qu'il fait là à prendre ainsi racine sur le trottoir, ni jusqu'à quel point il fabule. Il s'en va.

Il l'appelle, plus tard. Il feint de lui parler d'une cabine téléphonique éloignée, dans les Laurentides. Elle a sa voix fraîche et franche, il sent la réalité qui s'émousse, qui redevient confortable. Il lui demande comment va le tournage. Elle est débordée, dit-elle, une journée de fou comme les autres — même pas le temps de manger. Elle continue de parler, mais il n'entend plus rien, il se demande avec étonnement d'où vient cette douleur insensée qui le scie en deux.

Octobre 1987. Soir.

C'est un beau party. Les invités grignotent, boivent, discutaillent, sniffent de la coke de bonne qualité, fument du québécois et du colombien, dansent dans les dérèglements parfaits de l'euphorie. Il n'y a là que du beau monde, indéniablement, et qui semble coulé dans les mêmes ondes fraternelles. C'est elle qui a eu l'idée, une envie irrépressible de faire la fête, comme une manière de dire : tiens, voilà mon passé et mes vies parallèles, me veux-tu toujours ? Ils ont mis ensemble leurs amis respectifs, leurs vieux amants, leurs amours défraîchies, ils célèbrent en fait, sans le dire à personne, le bourgeonnement d'une ère éternelle, la cohabitation Léa-Paul.

Ils butinent d'un invité à l'autre, en impeccables hôtes qu'ils se révèlent être. La soirée avance et ils n'ont le temps que de s'effleurer au passage, une œillade lointaine à travers la foule, un baiser impromptu dans le cou. Mais ils sentent palpiter au-delà des autres et de l'espace, comme un animal qui feindrait le sommeil, leur extrême connivence, leur attraction magnétique de tous les instants.

Il la retient soudain en pleine course, il lui glisse à l'oreille : « Je veux te parler, viens ici cinq minutes. » Le ton est emphatique ; elle fait semblant de s'alarmer. Ils cherchent un recoin tranquille dans leur appartement intégralement occupé, ils finissent par échouer dans le vestibule, parmi les manteaux.

— Voilà, dit-il. C'est une surprise. Un cadeau pour toi.

Il lui tend quelque chose de blanc, l'album *The Köln Concert*, de Keith Jarrett. Elle se met à rire, elle en hoquette.

— Qu'est-ce qu'il y a ? se vexe-t-il.

Elle les serre très fort contre elle, lui et l'album, elle lui mordille traîtreusement le nez.

— Je t'ai acheté le même, dit-elle.

La soirée avance, et on finit par s'inquiéter de leur absence. Quelqu'un les découvre inopinément et revient colporter la nouvelle aux autres, avec une indulgence nostalgique. Ils sont couchés parmi les manteaux, enfouis sous des kilomètres d'imperméables, ils s'embrassent et s'étreignent comme s'ils étaient seuls au monde.

Janvier 1991. Soir.
Les couteaux volent. Ils sont de force égale dans ce petit jeu cruel qui consiste à décocher des traits empoisonnés là où ça fait le plus mal, et ils ne s'en privent pas. Il faut croire que c'était mûr pour éclater, mais l'abcès ne désemplit pas, ils baignent jusqu'au cou dans la purulence et la mauvaise foi des grandes passions qui s'achèvent. Menteuse tu m'as menti, hurle-t-il, c'est ta faute tu m'as poussée à bout, crache-t-elle, ils ont oublié que les mots sont autre chose que des pierres qu'on se tire en pleine face. Ils reprennent leur vie commune séquence par séquence et ils la décortiquent jusqu'à la rendre méconnaissable — là et là regarde ce que tu m'as fait, rappelle-toi ça et ça, ingrat sournois mesquine tricheuse !

Les cris s'empilent et se neutralisent, oh comment faire pour t'atteindre et te blesser aussi profondément que je le suis moi-même. Ils passent aux actes. Elle casse un pot à fleurs, elle lui lance les morceaux au visage. Il la secoue et la pousse violemment contre le mur. Et puis ils arrêtent tout, stop, silence, coupez.

Ils se dévisagent, effrayés, dans un mutisme de fin du monde. Qu'avons-nous fait, qu'as-tu fait de ton cœur, où cela s'en est-il allé ?

Ils se mettent à chialer, aussi ridicules l'un que l'autre. Ils chialent à cause de ces quelques pas de trop esquissés vers l'irréparable, ils chialent parce qu'il neige dehors, que c'est l'année nouvelle et qu'ils ne peuvent même pas prendre l'autre dans leurs bras pour le consoler.

Juin 1992. Soir.
La salle se vide tranquillement. Près de la sortie du cinéma, ils se retrouvent tout à coup nez à nez : impossible de feindre la distraction ou la myopie opportune. Ça devait bien arriver un jour ou l'autre. Il est avec une fille, une grande rousse qui a du panache et qui le tient victorieusement par le coude. Elle est seule.

Ils restent un moment abasourdis, incapables même de maîtriser la surprise consternée qui se répand sur leur visage. Et puis ils se remettent à fonctionner, ils laissent aller petit à petit les mots confortables qui servent à faire semblant de communiquer.

— Comment ça va ?
— Ça va bien. Toi, ça va ?

Heureusement, ils peuvent parler du film, après avoir improvisé brièvement sur le temps qu'il fait. Elle remarque qu'il a les yeux cernés, il travaille trop ou c'est peut-être cette grande rousse qui lui dévore lascivement ses nuits. Elle n'a pas vraiment envie de savoir. Il remarque qu'elle s'est subtilement arrondie, comme si ses angles les plus pointus s'étaient atténués, elle est peut-être enceinte. Il n'a aucune envie de l'apprendre. Ils parlent assez longtemps pour que les apparences soient sauves. La grande rousse reluque nonchalamment la sortie.

Ils se saluent, en se servant des mêmes mots que ceux qui ne se sont jamais aimés.

Pourtant, ils sont venus à un cheveu de se parler pour de vrai lorsqu'un mouvement de foule les a rapprochés, mais le moment est passé, il y a trop de spectateurs et la pièce est finie. Ils sortent. Ils s'éloignent dans des directions opposées. Ils ne se retournent pas, ils n'échangent pas de regard confus au-dessus du vide, ils s'en vont très vite, mus par la peur qui donne des ailes.

Septembre 1989. Nuit.
C'est elle qui garde le feu, comme les vestales des temps anciens. Elle intercale savamment du bouleau humide entre les rondins de merisier, elle ménage des trouées d'air à l'aide de son bâton de thaumaturge, elle termine tout ça en apothéose, une grosse brassée de sapin rouge pour que les flammes bondissent jusqu'au ciel.

— C'est l'enfer, dit-il en reculant sa chaise.

La nuit embaume la résine et le lac. Ils ne parlent pas. Dès qu'ils quittent Montréal et se glissent ici, dans le cœur sauvage de leur forêt, ils sont autres, ils appartiennent à une nouvelle espèce, mi-animale mi-humaine, qui assiste, recueillie, aux grands mouvements de la cosmogonie. Un raton laveur est venu leur rendre visite. Avant, il y a eu deux mouffettes, roublardes et boiteuses, qui se sont faufilées entre leurs jambes pour leur voler des patates chips. Dans la vieille épinette qui leur fait face, trois écureuils volants viennent d'esquisser pour eux seuls des steppettes aériennes d'une grande témérité. Ça n'arrête pas, les acteurs se dépensent sans compter, et ils n'ont même pas payé leurs places.

Maintenant, c'est la lune. Rousse, presque ronde, elle émerge de derrière la montagne et tombe au-dessus de l'eau.

— Viens, souffle-t-il, on s'en va en canot.

Ils se faufilent dans l'embarcation, ils rament en Indiens sans soutirer de leur aviron le moindre chuintement. La lune, devant eux, trace une route phosphorescente : s'ils l'empruntaient jusqu'au bout, ils se perdraient dans les étoiles, ils noie-raient ce qui reste de leurs peurs, ils perceraient les énigmes de l'univers comme on dégonfle des ballons. Tout à coup, la voix d'un huard. Ils s'immobilisent au milieu du lac.

C'est une plainte, c'est un psaume, c'est un chant surna-turel. Ils sont là, au milieu de tout ça, le feu qui danse sur la grève, la lune, le lac engourdi par la nuit, le chant du huard, leurs doigts se trouvent sans se chercher, ils ont envie de crier tellement cet amour est un état de grâce qui ne peut pas ne pas durer toujours.

LES FEMMES SONT PLUS FINES
QUE LES HOMMES

Il sait qu'elle s'appelle Mirella parce que la première fois qu'il l'a vue, elle déverrouillait la porte de son appartement en compagnie d'une fille qui disait : « Il me tue, Mirella, je te jure, il me tue. » Puis, une autre fois, ils se sont croisés dans l'escalier, lui encombré de sacs d'épicerie qui lui montaient jusqu'au menton, elle encombrée de rien sur ses jambes brunes qui lui montaient jusqu'à la taille, et il l'a saluée en souriant par-dessus les poireaux et les feuilles de radis, mais elle n'a pas dû l'entendre puisqu'elle n'a rien répondu.

Et maintenant, cette fille qui s'appelle Mirella et qui lui plaît est presque nue à côté de lui.

La grille du balcon les sépare, à vrai dire, et sans doute beaucoup d'autres choses, aussi, mais il baigne dans ses émanations d'huile solaire, et s'il levait les yeux de son ordinateur, peut-être serait-il bronzé par les ultraviolets qui la bombardent. Il ne lève pas les yeux de son ordinateur. Il ne faut pas regarder. Elle se dépouille peu à peu de son vêtement minime, la moitié de son soutien-gorge choit tandis qu'elle s'oint d'huile sacrificielle, une fesse entière fait à l'air libre une entrée remarquée, mais il ne faut surtout pas regarder. Les femmes ont le droit de se dévêtir pour elles seules, pour le soleil, pour combattre l'ostéoporose, les femmes n'aiment pas qu'on regarde ce qu'elles exposent au regard. Il est si tendu par l'effort de garder la tête basse et l'œil cataleptique sur l'écran qu'il fait un faux mouvement et renverse le parasol, et il faut bien qu'il se penche pour l'attraper et que ses yeux soient alors sur elle, et c'est ce moment précis, très court, unique, qu'elle choisit pour se tourner vers lui et constater qu'il la regarde et le toiser d'un air offensé avant de se draper dans son peignoir et disparaître à l'intérieur.

Il s'appelle Thomas, il a trente-neuf ans, et il se remet lentement d'une séparation difficile. Il écrit des scénarios de films qu'il parvient à vendre après des réécritures et des compromis multiples. Il est rompu à toutes sortes de compromis. Le scénario auquel il travaille raconte l'histoire d'un transsexuel, un homme qui a choisi de vivre dans la peau d'une femme, ou plutôt un homme persuadé qu'il est une femme que la nature a flouée de son corps et qui n'a de cesse de le reconquérir. C'est une histoire complexe et impossible, et il ne sait plus comment il s'en sortira ni pourquoi il y est entré.

Le soleil descend en flèche sur les arbres du parc, une humidité commence à flotter dans l'air comme un encens, et il est toujours assis sur le balcon. Il voit des musiciens qui tam-tament près de la statue de la Victoire, il voit un homme qui urine dans un bosquet, une fille longiligne qui danse. Il voit des couples, des enfants et des chiens, et des victuailles que l'on étend sur les tables de pique-nique. Il voit l'humanité divisée en deux camps adverses et irréductibles : d'un côté les Guerriers qui pissent dans les bosquets, de l'autre les Bacchantes qui dansent au son du tambourin.

Comment l'alliance serait-elle possible ?...

Quand il est dans la cuisine à se préparer vite fait une salade, il entend des femmes sur le balcon de Mirella. La voix de celle qui disait : « Il me tue » dit maintenant : « Je vous jure, un serin dans un jeu de quilles », et elles rient, elles rient comme des adolescentes, tordues par des cascades de plaisir qui leur arrachent des plaintes pointues. L'odeur du joint d'herbe vient lui chatouiller les narines et le replonge tout à coup dans une antiquité agréable, du temps où le bonheur se trouvait partout accessible, dans la fumée et dans le rire. Il sort sur le balcon sans chercher de prétexte. Elles sont trois, parmi lesquelles Mirella dans une robe rouge. Quand elles le voient, elles s'interrompent. Il leur dit bonsoir, Mirella répond : « Bonsoir », mais pas les deux autres, et soudain elles sont reprises par un fou rire énorme qui dresse des barricades autour d'elles et lui intime l'ordre de déguerpir chez lui.

Sa femme téléphone, dans la soirée. Son ex-femme, quoiqu'il n'aime pas penser à elle en ces termes. Elle lui pose des questions sommaires sur sa santé, puis elle en arrive au vif du sujet. « Il n'est pas encore rentré », dit-elle.

Il, c'est-à-dire Jean, celui pour lequel il y a deux ans elle a jeté beaucoup de choses par-dessus bord, dont Thomas.

Sa voix est si basse et déprimée qu'il doit tendre l'oreille exagérément pour entendre ce qu'elle dit. « Il n'appelle jamais pour prévenir qu'il ne rentre pas. Je suis là, comme une dinde, à l'attendre. Moi aussi, je pourrais boire un verre avec des copines, m'asseoir à une terrasse, au lieu de l'attendre. » Elle soupire, il l'imagine se balançant près du téléphone, une mèche de cheveux torturée entre les dents. « Pourquoi il n'appelle pas ? dit-elle. C'est tout ce que je lui demande, prévenir quand il ne rentre pas. Je ne demande qu'un peu de respect. Est-ce trop demander ?... Une femme ne ferait jamais ça. Est-ce qu'une femme t'a déjà fait ça ?... » Il se mord les lèvres pour éviter de répondre tout de suite, Dieu sait ce qui surgirait s'il se laissait aller à répondre, mais il ne s'agissait pas d'une véritable question, heureusement. « C'est sûr, ajoute-t-elle immédiatement avec un rire amer, ça ne changera jamais, les femmes sont plus fines que les hommes. »

Il entend un bruit, derrière elle, et elle qui s'éloigne un moment, puis qui revient, transformée, animée, chaleureuse. « Le voilà, dit-elle. *The fucking bastard.* » Et elle rit pour de vrai, remplie d'un soulagement joyeux. Elle ne lui pose pas de questions sur son scénario. Elle l'invite à manger samedi : « Je fais de l'osso buco. Tu aimais mon osso buco. » Il dit qu'il ne sait pas, qu'il ne croit pas qu'il pourra.

Il est incapable de travailler, après, submergé par une colère terrible. Il va sur le balcon. Il voit une robe rouge, appuyée contre la balustrade, mais il choisit de ne pas la voir, de faire comme s'il était seul, le seul être humain sur la terre à contempler les arbres du parc qui ploient sous les ténèbres. C'est elle qui lui parle. Elle lui demande du feu. Il en a, même s'il ne fume pas. Elle s'allume une cigarette, incendiaire dans sa robe rouge. Et voilà qu'elle lui pose des questions, ce qu'il fait, où il habitait avant, et elle écoute les réponses en regardant devant elle, le front sillonné de petites rides. Ses cheveux sombres dégagent une odeur de caramel, sa bouche sans maquillage est aussi rouge que sa robe. Comment résister à l'envie de pénétrer plus avant dans l'intimité affolante de cette odeur, de tout ce rouge ? Il lui dit qu'il a une bouteille de sauternes sur la glace, il lui offre un verre. Elle le regarde pour la première fois en face, avec des yeux piquetés d'étonnantes lueurs mauves, et elle dit : « Certainement pas. »

Il travaille, jusque tard dans la nuit. Cet homme-femme à qui il a donné naissance l'entraîne dans un sinistre laby-rinthe où il va et vient, un bandeau sur les yeux, les pieds vacillant sur les incertitudes. Il souhaiterait demeurer au-des-sus de la mêlée, manipuler de haut les structures et les per-sonnages comme il a appris à le faire, mais il n'y parvient pas, ce transsexuel l'empoigne de sa main osseuse et le force à atterrir devant lui, là où les Guerriers et les Bacchantes échangent leurs déguisements et lui arrachent le sien. Quand il parvient à s'endormir, il rêve qu'il enfile une robe rouge et que son père lui dit, avec toute la réprobation dont il était capable : « Le rouge te va très mal, Mirella. »

La journée suivante, le soleil est masqué par une moiteur écrasante. Le moindre mouvement arrache au corps des sueurs olympiques. Thomas écrit à l'intérieur, amarré sous les pales du ventilateur, il écrit toute la journée en buvant de la bière. Et à cinq heures, lorsque les premiers roulements de l'orage atteignent la montagne, il a terminé.

C'est un orage colossal, qui jette tout dans l'anarchie, qui expédie le monde organisé aux premiers balbutiements de la purée cosmique. Les lumières giclent de partout, le bruit est infernal, l'eau tombe si raide et verticale qu'elle en devient une arme offensive. Il regarde le spectacle, debout sur le balcon. Il sourit. Il la devine dans l'embrasure de sa porte, une tache rouge dans le contre-jour. Elle dit : « C'est terrifiant, toute cette violence. » Elle s'avance à sa hauteur et reste là, immobile comme lui, parcourue de tressaillements chaque fois que le tonnerre éclate. Elle dit : « Je suis désolée pour hier, je suis un peu sauvage. » Elle dit encore : « Si l'offre tient toujours, je prendrais bien un verre de sauternes. » Il se tourne à demi vers elle. Elle se tient les bras serrés contre la poitrine, comme font les femmes quand elles ont peur et cherchent un peu de protection.

Il se détourne pour contempler l'orage. Il ne répond pas.

MADAME BOVARY

Elle lisait tous les jours sa chronique dans le journal. Elle attendait que Vincent soit parti pour le bureau et que l'autobus scolaire ait raflé à la porte Caroline et Mathieu, car il fallait de la solitude à sa lecture, et de l'espace. Elle s'installait face à la baie vitrée, là où son regard pouvait ricocher sur le jardin et atteindre, très loin devant, la croix fantomatique du mont Royal. Elle lisait toujours sa chronique deux fois, avec un sourire souvent, et parfois avec une peine étrange qui s'incrustait dans sa poitrine. Après elle laissait longtemps le journal ouvert sur ses genoux, et elle buvait à petites gorgées songeuses son café noir, presque froid à force d'avoir attendu sur la moquette.

Il écrivait bien, évidemment, mais là n'était pas l'intérêt. Il écrivait *fort*, surtout, il avait des violences qui faisaient basculer la réalité cul par-dessus tête, et alors en émergeaient des dessous déchirés, indécents, d'une séduction inattendue. Il était insolent et cruel, aussi, il avait une façon de parler pour ne rien dire qui abîmait immanquablement quelqu'un ou quelque chose au passage. Ce qu'il écrivait ne ressemblait pas à son univers à elle. Par exemple, il ne croyait pas au mariage et aux institutions qui ont fait leurs preuves. Il remettait tout en question sans arrêt, même les fondements quiets de l'existence : un « révolutionnaire », disait Vincent qui le lisait parfois en enrageant, « un révolutionnaire et un marxiste », et elle approuvait distraitement pour ne pas avoir à défendre une opinion qui était de l'ordre de l'inexprimable. D'ailleurs, elle ignorait ce qu'était un marxiste.

Ce qu'elle savait, par contre, c'est que le lire seule, face à l'espace imaginé et au jardin sans cesse infléchi par les saisons, lui procurait une ivresse trouble dont elle n'aurait su se passer. Il était différent d'elle, et pourtant c'est à elle qu'il s'adressait, à sa partie cachée, à son âme illicite. Il était sa délinquance secrète, la nostalgie d'un chemin qu'elle aurait pu emprunter et qui l'aurait menée ailleurs, beaucoup plus haut peut-être, bien au-delà de cette croix étriquée surplombant le mont Royal.

Elle ne rêvait pas de le rencontrer un jour. Elle avait des rêves raisonnables et accessibles, dont celui-là ne pouvait faire partie. Pourtant, lorsqu'elle lut sa chronique, ce matin de printemps-là, elle entendit soudain son pouls s'affoler avant même que les mots fassent leur chemin jusqu'à elle. Il écrivait : « Invitez-moi chez vous. » Il écrivait : « Oui, vous, monsieur, madame, de Saint-Télesphore ou de Saint-Lambert, de Percé ou de Nominingue, invitez-moi. Je ne bois pas d'alcool, mais j'aime le thé glacé, nous jaserons, vous serez le sujet de mes chroniques de l'été. Les chroniques du monde ordinaire. »

Elle demeurait à Saint-Lambert.

Elle enfouit le journal dans le bac de récupération sous les déchets de la semaine et lutta pour oublier ce qu'elle venait de lire. Mais une heure plus tard, quelque chose de péremptoire l'obligeait à reprendre la chronique et à la découper, quelque chose de brûlant se dégageait de l'imprimerie froide et montait comme une vraie voix, un ordre viril à elle seule intimé. *Invite-moi.*

Elle se regarda dans le miroir. Elle avait les joues cramoisies, comme lorsqu'elle oubliait de protéger du soleil sa peau délicate, et son regard violet était traversé d'éclairs d'anxiété. « Qu'est-ce que tu as ? se dit-elle, de quoi as-tu peur ?… » Mais la réponse se trouvait à l'évidence dans son reflet torturé, flottant à la frontière du miroir. Elle était sur le seuil d'un univers parallèle effrayant qui ne la laisserait plus repartir une fois qu'elle s'y serait engagée.

Elle prit le Mont Blanc offert par Vincent, qui ne servait sporadiquement qu'à la rédaction de son journal intime, et elle ouvrit la porte grande sur l'univers parallèle effrayant, elle écrivit au Journaliste.

Je vous lis depuis toujours. Je fais partie de ce monde ordinaire que vous souhaitez visiter, même si je suis assez jolie pour qu'on me prenne parfois pour une actrice. Mais la beauté, comme vous le savez, est inutile si elle n'est pas aussi intérieure. Je crois avoir des beautés intérieures à partager avec vous. Je sais faire aussi des paris-brests et des tartes extraordinaires, me disent mes amis, qu'il me ferait grandement plaisir de vous faire goûter. Nous pourrions jaser dans mon jardin, en regardant les iris et le plan d'eau rempli de nénuphars naturels, ça vous reposerait de la vie exigeante de Montréal. Le temps où mon jardin est à son meilleur est au mois de juin, mais vous pouvez venir n'importe quand avant ou après, j'organiserai mon horaire en conséquence. Je vous invite, donc, et je vous supplie d'accepter mon invitation.

diane

Elle se relut plusieurs fois en se torturant les lèvres. Initialer son prénom de ce « d » minuscule en rachetait presque la pauvreté. Elle se rappela soudain que le Journaliste aimait les chats, et elle troqua la phrase des pâtisseries contre celle-ci : « J'ai un chat qui s'appelle Paris-Brest, à cause du gâteau que je fais comme personne, prétendent mes amis, vous en jugerez par vous-même. » Elle rougit de son audace, elle qui n'avait jamais eu de chat et qui ne savait pas mentir, et elle se dépêcha de cacheter l'enveloppe et de la jeter à la poste avant de changer d'idée.

Elle n'y repensa qu'à la nuit tombée, à côté de Vincent qui avait tout de suite croulé dans un sommeil lointain comme un voyage d'affaires. Dans sa lettre, il lui était venu tout naturellement une omission de taille, elle avait parlé d'elle comme d'une célibataire, elle avait sacrifié l'existence des enfants et de Vincent au profit de celle d'un chat imaginaire, et elle garda un long moment les yeux ouverts dans l'obscurité à se demander pourquoi.

Après, il y eut des jours où l'exaltation fondait sur elle au milieu de n'importe quoi et elle mangeait, elle cuisinait, elle écoutait Vincent soliloquer à propos d'informatique, elle aidait Caroline dans ses devoirs et grondait Mathieu pour une insolence, mais elle était ailleurs, les yeux brillants et l'âme lévitante, elle se voyait bouger au loin comme une étrangère, une ancienne partie d'elle en train de muer. D'autres jours, la frayeur lui coupait l'appétit et le sommeil, qu'avait-elle osé, comment pourrait-elle affronter cet homme qui était son idéal et sa révolte tue, et elle priait pour que la lettre se soit égarée ou qu'il l'ait jetée immédiatement après l'avoir reçue. Et le temps passait, et elle dévorait maintenant ses chroniques sans les savourer, obnubilée par le désir et la crainte, il parlait de celui-ci en Abitibi qu'il allait rencontrer et de cette autre dans les Hautes-Laurentides dont il revenait, et les semaines filaient avec leur lumière accrue et leurs verdures parfumées, les lilas éclaboussaient le jardin de mauves fondants et les colibris à gorge rubis avaient recommencé de squatter les iris, et elle comprit qu'il ne répondrait pas à son invitation. Elle était sauvée. Elle était atterrée.

Bien entendu, sa lettre était trop ordinaire, elle tout entière était tellement ordinaire qu'elle n'avait su, de l'ordinaire, faire émerger une saillie irrésistible. Peut-être aurait-elle dû joindre une photo à sa lettre, ou enjoliver davantage sa réalité comme avaient certainement fait les autres, les heureux, ceux qu'il visitait et bouleversait de sa présence. La gifle de ce rejet causait une douleur qu'elle n'avait pas imaginée, et pendant des jours, irritable et neurasthénique, elle s'étiola malgré le soleil installé dans l'été. Même Vincent, qui ne voyait jamais rien, s'en aperçut. Il lui prit la main, un soir qu'ils étaient attablés seuls devant des reliefs de homards, et lui parla de vacances au bord de la mer. Elle dégagea sa main prestement avec un rire nerveux, elle ne voulait pas de vacances au bord d'une mer imbécile, elle voulait demeurer près du jardin à regarder mourir tout ce qui meurt, et elle se leva sous les yeux perplexes de Vincent et courut sangloter dans leur chambre. Le lendemain matin, à onze heures, elle recevait un appel du Journaliste.

Il avait la voix rocailleuse, un peu maniérée, plus proche de la gaucherie que de l'arrogance. Il ne parlait pas comme un chroniqueur insolent et cynique, il s'exprimait très poliment, avec des hésitations et des « Madame » de collégien. Elle était de glace brûlante depuis qu'il s'était nommé, mais peu à peu elle retrouvait température humaine, elle parvint à dire : « Comment allez-vous ? » et « Quel mois de juin exceptionnel ! » avec les intonations aux bons endroits, comme une personne calme. Il lui suggéra une rencontre chez elle la semaine suivante, le jeudi au milieu de la journée, et avant d'accepter elle eut un silence de respectable dimension pour qu'il la croie aux prises avec un agenda chargé, sollicitée par la vie de toutes parts. Lorsqu'elle raccrocha, le cœur ferme malgré les palpitations, elle sut qu'elle était devenue autre, irrémédiablement.

Il lui fallait un chat.

Le mensonge était commis, figé dans la pérennité écrite, il lui fallait de toute urgence un chat, déjà dressé et susceptible de répondre au nom ridicule de Paris-Brest. Problème. Le soir même, le destin lui faisait une œillade : Vincent découvrait un chat efflanqué dans le jardin, qu'il allait expulser comme tous ceux de cette espèce malencontreuse qui s'entêtaient à uriner dans leur verdure, lorsqu'elle s'interposa avec véhémence. Elle avait envie d'un chat et de CE chat en particulier, oui tout à coup, absolument, elle n'était pas une créature programmée, elle revendiquait le droit de nourrir des désirs subits et de modifier ses préférences. Vincent, qui était un brave type l'aimant davantage que toute forme de complication, obtempéra facilement, et les enfants applaudirent à cette innovation vivante. Le chat, gris comme un cliché, le poil ras, une oreille biffée par les avatars de l'existence, de toute évidence apatride, se retrouva dans la maison, ronronnant d'étonnement sur les fauteuils.

Bien sûr, elle l'aurait souhaité plus joli et plus gras, mais, pourvu que l'on y joigne de la nourriture, il répondait à n'importe quoi avec promptitude, même à un nom de pâtisserie. Elle acheta des kilos de litière et de viande en boîte, et tout de suite après s'aperçut que Caroline, le souffle mourant et la peau rougissante, souffrait férocement d'allergie. Paris-Brest retourna donc dans l'anonymat du dehors, lesté de quelques boîtes de viande compensatoire. Tant pis, elle n'en était plus à un mensonge près, elle inventerait au profit du Journaliste un accident, une mort subite. Et puis, il n'allait quand même pas demander à voir le chat.

Une grande paix descendait sur elle maintenant qu'elle savait leur rencontre imminente, et inéluctable le glissement vers l'autre versant du miroir. Il n'y avait qu'à saisir ce qui se tendait au-dessus de l'ordinaire, saisir la bouée qui la hisserait hors de la médiocrité noyante, jamais elle n'avait saisi quoi que ce soit depuis des siècles. Elle n'éprouvait plus de crainte. Elle dit à Vincent, sans un tremblement dans la voix, qu'elle attendait une amie le jeudi suivant, une très chère amie d'enfance, cette autre qu'elle était devenue ouvrait la bouche calmement et les mensonges surgissaient, fluides et aériens, dépourvus de douleur. Elle demanda à Vincent de lui abandonner la maison jusqu'au soir : peut-être pourrait-il prendre les enfants à l'école et les emmener manger quelque macdonalderie tandis qu'elles vivraient, elle et son amie d'enfance, des retrouvailles émouvantes dans l'oasis du jardin. Vincent approuva, enthousiaste pour elle qui ne voyait jamais personne, il greffa sur le McDonald une soirée au cinéma afin de lui laisser davantage le champ libre, et cette crédulité affectueuse, au lieu de l'attendrir, provoqua chez elle un agacement violent, comme devant une faiblesse.

Elle l'attendait.

Elle pensait à lui toute la journée, longtemps après avoir lu sa chronique, elle voyait luire dans chaque phrase exsudée le lien qui allait s'affermissant entre eux, elle pensait à lui si fort qu'il ne pouvait qu'en être atteint, même là-bas près du mont Royal où il écrivait sans savoir à quel point le jeudi suivant serait aussi pour lui une révolution.

Elle pensait à lui en voyageant dans les années d'avant,

celles où elle n'appartenait encore à personne. Elle s'enfermait dans la chambre malgré le soleil torride et elle fourrageait dans un tiroir rarement visité, celui de ses reliques estudiantines. Dans des livres de finissants, sur des photos de collège, elle renouait euphoriquement avec ses quinze et dix-huit ans, elle était vice-présidente de sa classe, elle faisait du théâtre amateur, elle dessinait joliment, une fois elle avait eu un A pour une dissertation française, toutes les preuves gisaient là pour attester qu'un avenir magnifique l'attendait de pied ferme. Où l'élan s'était-il brisé, à quel instant précis sa vie avait-elle bifurqué vers le désastre de la banalité ? Sur les photos toujours elle réussissait à trouver la réponse, il y avait cette fête au collège où parmi la foule Vincent souriait comme un vainqueur, comme celui qui sait que l'apocalypse suivra son apparition, et elle regardait cette photo du Vincent d'il y a quinze ans avec une froide tristesse, regardait à quel point l'anéantisseur avait perdu en cheveux ce qu'il avait gagné en poids.

Après, elle essayait des vêtements devant le miroir de la chambre, des robes osées, des chemisiers coûteux, des shorts confortables, rien ne semblait convenir pour ce jeudi décisif, rien ne lui redonnait l'image d'avant et la liberté interrompue.

Le mercredi, elle opta pour une jupe paysanne et un débardeur moulant. Le débardeur moulait si fort que ses seins y vivaient comme nus, et elle se regarda longuement dans le miroir avec dureté, pour tenter de se voir comme il la verrait.

Elle avait trente-quatre ans, elle était encore belle. Ses seins étaient demeurés hauts et ronds en dépit des grossesses, et seul l'arrondi mutin de son ventre résistait aux exercices de Jane Fonda qu'elle s'infligeait chaque soir. Autour de la piscine des voisins, lorsqu'il y avait barbecue, elle était celle sur qui les autres hommes se retournaient discrètement, celle dont la silhouette pouvait supporter le mieux la dénudation maximale. Ses cheveux auburn tombaient librement sur ses épaules, contrairement à toutes ces femmes qui à trente ans se dépêchaient de se couper les cheveux pour ressembler tout de suite à leur vieillesse. Elle avait la peau pâle et les yeux violets, un contraste saisissant un peu gâté par les taches de rousseur, hélas, une myriade catastrophique traînée depuis l'enfance. « Ma petite picotée », l'appelait Vincent les soirs d'affection sexuelle, mais elle ne voulait pas penser à Vincent, rien n'était plus importun que l'existence de Vincent en cette veille de révolution.

Elle se déshabilla tout à fait et resta nue face au miroir, frissonnante de partout, sous le regard inquisiteur et froid de ses yeux violets. « Que veux-tu ? se demanda-t-elle, que veux-tu donc de lui ? » Ses yeux violets ricanèrent pour elle, bien sûr qu'elle savait ce qu'elle voulait.

Elle voulait coucher avec lui.

Il arriva dans une voiture déglinguée et bruyante, à treize heures pile. Elle était assise près de la porte, exsangue, les aisselles moites d'énervement. La cuisine embaumait encore la pâte à chou qu'elle avait cuite à l'aube, afin que le paris-brest, fourré de crème pralinée, soit frais du jour. Elle se leva précipitamment en entendant la voiture et se contraignit à se rasseoir aussitôt. Surtout, ne pas se montrer obséquieuse.

Il était très grand, il dut presque se pencher pour lui serrer la main. Malgré ses lunettes d'intellectuel et son accent européen, il semblait si gauche et si timide qu'elle en fut brusquement rassérénée. Elle aima ses vêtements froissés et mal coupés, elle aima son odeur de sueur, le Journaliste qui la transportait si haut depuis si longtemps n'était donc qu'un être humain accessible.

Tout de suite, il demanda à voir le chat.

Il demanda Paris-Brest, en fait, et elle se leva avec un certain désarroi pour sortir du frigo le gâteau qu'elle ne destinait qu'à l'heure creuse de l'après-midi. Ils ne rirent ni l'un ni l'autre du quiproquo, surtout pas elle, embourbée dans une histoire sanglante de chat broyé sous un autobus scolaire. Les mensonges, bizarrement, ne convenaient plus face à ces yeux de myope qui évitaient les siens. Elle lui offrit une portion de pâtisserie, elle lui offrit un rhum and coke, il refusa tout sauf un verre d'eau plate. Elle sentait une sorte de panique la gagner à l'idée que rien ne se déroulerait avec l'aisance planifiée, et elle lui tendit un quartier de lime d'un geste si implorant qu'il l'accepta, étonné.

Maintenant, ils étaient dans le jardin. Il avait commencé à lui poser des questions, puisque après tout c'était la raison de leur rencontre, mais ses questions étaient d'une banalité désarçonnante, et elle devait travailler très fort pour tenter de rendre les réponses captivantes. Le marronnier donnait-il des marrons comestibles? Comment s'appelaient ces petites fleurs bleues qui poussaient dans la mousse? Devait-elle tondre la pelouse très souvent? Au bout d'une demi-heure de labeur mental torturant et de rhum and coke trop corsé, elle abandonna la partie, épuisée, et décida d'être elle-même, ordinaire, tant pis. C'est à ce moment que le charme, miraculeusement, se mit à opérer.

Elle parla, sans fard, comme elle savait le faire avant, du temps où il y avait des hommes à conquérir et un univers à dompter, elle fut de nouveau la collégienne au babil heureux qui ne connaît ni peur ni censure. Elle raconta comment elle s'asseyait dans la lumière près des myosotis à ne rien faire pendant des heures, que flotter béatement au-dessus de son corps, elle parla de rêves significatifs, de réincarnation, d'astrologie, et tout ce temps elle sentait ses yeux sur elle, écartelés et surpris, et quand elle se leva pour renouveler son rhum and coke et le verre d'eau plate, elle vit qu'il regardait furtivement ses seins.

Tout devenait facile, lui montrer le crapaud dissimulé sous les nymphéas du petit étang, lui effleurer le bras par inadvertance tout en l'entretenant de ses iris, et finalement l'entraîner à l'intérieur, dans le cagibi pompeusement baptisé bibliothèque en l'honneur de la centaine de livres qui s'y empoussiéraient en silence. Il s'anima soudain à la vue des livres, et elle l'observa avec un fin sourire tandis qu'il butinait d'une œuvre à l'autre, reconnaissant avec étonnement des titres peu courants et estimés. Elle fit durer le plaisir un moment, puis lui révéla sans ambages le secret de cette bibliothèque : tous les livres ici présents avaient été recommandés par lui au fil de ses chroniques, depuis toutes ces années qu'il se mêlait de recommander des lectures et qu'elle le dévorait assidûment. Elle vit ses yeux s'arrondir encore de cette stupeur qui était comme une caresse. Bien sûr, ajouta-t-elle avec une franchise dont elle sentait maintenant la justesse, elle n'avait eu le temps de parcourir ces livres que parcimonieusement, mais elle les lirait un jour, et plus tard elle les offrirait à ses enfants comme un héritage essentiel, car elle avait, oui, des enfants, et même quelquefois un mari.

Elle laissa traîner le nom de Vincent avec une moue un peu désabusée, soucieuse de ne pas mentir complètement mais de suggérer l'ouverture, ainsi ce soir celui qui était accidentellement son mari, ce médecin électronique qui soignait les programmes informatiques, ne rentrerait que fort tard, mais bon elle s'habituait à ces petites ruptures qui en annonçaient sans doute une autre, plus définitive.

Le Journaliste sembla méditer ces renseignements en se mordant les joues et elle se demanda si elle avait été suffisamment explicite et comment l'être davantage, trop de fidélité conjugale préparait décidément mal aux subtilités de la séduction. À la manière un peu honteuse dont il l'effleura une nouvelle fois du regard, elle comprit qu'il était trop timide et que ce ne serait pas pour aujourd'hui. Mais la semence germerait tôt ou tard dans ce grand sol fertile, il aimait les femmes et elle se savait convaincante, embrasée ainsi par le pétillement de l'alcool, les seins presque nus. Tôt ou tard il reviendrait, mais en attendant il s'enfuyait, effrayé par l'âpreté de ce désir qui montait sûrement en lui, il regardait sa montre sur laquelle le temps avait filé et il la remerciait de son hospitalité charmante. Elle le suivit, amusée, jusqu'à la porte : comme il avait peur d'elle et comme il était vulnérable malgré ses presque deux mètres. Au lieu de prendre sa main tendue, elle l'embrassa près des lèvres, très rapidement, en lui glissant qu'il avait toujours son numéro de téléphone. Son odeur de sueur, prégnante et musquée, était toujours sur elle un quart d'heure après son départ, et elle se rappela soudain l'existence du paris-brest, intouché dans le frigo. Tant pis, Vincent et les enfants s'acquitteraient de bonne grâce des nourritures terrestres.

Pauvre Vincent, allongé maintenant près d'elle dans son pyjama confortable, son pyjama de cocu, pauvre Vincent qui s'informait tendrement de cette amie d'enfance et de ces retrouvailles auxquelles elle DEVAIT donner suite, oui, il lui fournissait même les alibis à venir et il la regardait avec une confiance inébranlable, la bouche encore humide de crème pralinée, pauvre Vincent.

Elle ne lui ferait pas de mal, ni lui ni les enfants ne sauraient rien de cette aventure dans laquelle s'épanouirait une vaste partie d'elle, à jamais parallèle. Elle lui prit la main, remplie d'affection et de sérénité, et elle s'endormit en tentant de se rappeler le visage du Journaliste, mais seule son odeur revint flotter dans sa mémoire comme un parfum de délit.

Il n'y eut pas de chronique avant le lundi suivant. Le lundi, lorsqu'elle ouvrit fiévreusement le journal, il était là. Elle dut le relire plusieurs fois avant de se rendre compte qu'il parlait d'elle, si peu à vrai dire, à peine quelques lignes. « J'en ai marre, écrivait-il. Ces chroniques du monde ordinaire étaient une méchante idée, écrivait-il, le coup de grâce m'a été assené la semaine dernière par une petite madame de banlieue, une électroménagère pathétique cherchant son âme entre l'astrologie et la pâtisserie, une Madame Bovary beaucoup plus saumâtre que celle de Flaubert. Je reviens dès demain à mes chroniques habituelles. »

Elle le lut, elle le relut. Elle courut à la librairie du centre commercial acheter cette *Madame Bovary* de Flaubert, dont elle avait pourtant déjà un exemplaire dans sa bibliothèque idéale. Elle dévora le livre rageusement en en sautant de grands bouts, les descriptions infinies et les comices agricoles, et quand elle eut terminé, elle lança le livre à bout de bras dans le salon. Elle ne comprenait pas, elle ne voyait pas le rapport, elle ne voyait que le mépris.

Elle se fit un café machinalement et alla s'asseoir face au jardin, sans journal sur les genoux.

Où s'était-elle trompée? Où se trompait-elle? Se pouvait-il qu'elle ait été incorrecte depuis toujours, affligée d'une imperfection si grande qu'elle n'en avait jamais perçu ni le début ni l'extrémité?…

Devant le jardin explosant de couleurs, assise droite dans

son fauteuil, elle ressentit soudain un tel vide, une telle angoisse, qu'elle pensa s'évanouir.

Que faisait donc Emma, à la fin du livre ? Elle s'empoisonnait à l'arsenic. Il y avait toujours dans les livres des solutions pour tout à portée de la main, les livres étaient menteurs.

Dans la vie réelle, quoi qu'il arrive, il fallait vivre. Il fallait vivre interminablement, même pétrifiée, même creuse, en imaginant que l'arsenic avait ce goût douceâtre, inoffensif, ce goût de larmes et de café noir.

NOIR ET BLANC

à Dany Laferrière

J'ai regardé ton film jusqu'à la fin, Malcolm X, même s'il est trop long et que le cinéma est une affaire de femmes. Tu m'as fait de la peine, frère. Ton histoire est déraisonnable. Il n'y a que dans les quinze dernières minutes de ta vie que tu montres un peu de bon sens, quand tu vas en Égypte et que tu reviens à Chicago et que tu te fais poursuivre par des bandits noirs, je dis bien : NOIRS, frère, et que tu comprends soudain que l'homme blanc en général n'est peut-être pas le plus sale meurtrier du monde et le plus grand mangeur de porc du monde comme tu n'arrêtais pas de le bramer depuis le début, mais c'est trop tard et tu te fais flinguer, et j'ai bien envie de te dire que ça t'apprendra. Comment veux-tu que les jeunes cerveaux imbéciles et poreux de mes enfants se souviennent de ces quinze minutes-là, alors que les trois heures douze minutes précédentes ne sont que des appels à égorger les cochons blancs?

Ils ne s'en souviennent pas, c'est ça que je te dis. Leur petite cervelle molle a retenu les mauvaises choses de ta vie exprès pour m'emmerder, et ils m'emmerdent, vieux, tu ne peux pas savoir. D'abord, ils ont peint des X partout dans leur chambre, en noir tellement noir que c'est imprimé là jusqu'au Jugement dernier. Tous les jours, mon fils Gégé me casse les oreilles pour que je lui achète les mêmes grosses lunettes que toi et ce n'est pas pour te blesser, frère, mais ces lunettes sont certainement la chose la plus horrible qui puisse arriver au minois d'un garçon de onze ans doué par ailleurs d'une vue excellente. Ma fille Julie a décidé à huit ans et trois quarts que rien ne l'empêcherait de devenir musulmane comme toi, jusqu'à ce que sa mère lui explique qu'elle devrait s'envelopper des pieds à la tête comme une chenille dans son cocon. Mélissa est la plus vieille et la plus entêtée de la tribu, avec déjà le foutu caractère de sa mère, et je ne voudrais pas être le pauvre nègre qu'elle va harponner par la culotte dans quelques années. Grâce à toi, elle a découvert le mot « racisme » et elle l'aime énormément. Tout est devenu raciste dans sa tête, y compris moi quand je lui demande de rentrer plus tôt le samedi soir. Sa dernière lubie, c'est de coller dans un scrapbook les coupures de journaux qui montrent les horreurs racistes de l'Amérique, et d'empoisonner mon seul café du matin en m'en lisant les extraits les plus saignants. Un honnête homme qui besogne quinze heures d'affilée n'a pas besoin pour démarrer sa journée de connaître les moindres mornifles que ses frères ont reçues sur la gueule, tu en conviendras, frère.

Mais là où je ne suis vraiment pas d'accord, là où les cheveux me défrisent carrément sur la tête, c'est quand sa mère, ma femme, Flore Saint-Dieu que tu es bien heureux de ne pas connaître, reprend les propos hystériques des hystériques qui ont été excités par toi et par l'histoire déraisonnable de ta vie et se met à voir du racisme même ici.

Ici, à Montréal. Soyons sérieux, vieux. Est-ce que je ne serais pas le premier informé s'il y avait du racisme à Montréal? Est-ce que je n'ai pas baladé dans tous les coins de la ville 58 456 personnes dont les trois quarts complètement blanches depuis que je fais du taxi à Montréal?

Je ne dis pas que je n'ai jamais rencontré d'escrocs ni reçu de petites gifles désagréables de la vie. Mais qui m'a arnaqué de cinq cents dollars en me faisant payer deux fois ma cotisation de chauffeur avant de s'enfuir avec son chèque de gérant de la compagnie ? Ça me fait de la peine de te l'apprendre, frère, mais c'est un type originaire de Cité-Soleil comme moi et qui s'appelle Magloire Charles pour ne rien te cacher, que la fourche du diable le saisisse un jour par les couilles pour le faire rôtir. Qui a presque violé Flore Saint-Dieu — je sais que c'est difficile à croire — alors qu'elle se trouvait à l'apogée de sa beauté disparue et au début de notre mariage ? Bébé Préval, un Haïtien, vieux, un Caraïbo-Québécois, pour m'exprimer comme toi. Qui vient d'assassiner notre copain Nizafed au volant de son taxi pour une vingtaine de dollars misérables ? Un jeune salaud du nom de Barry Bishop, aussi noir que ta première maîtresse était blanche, aïe.

Les faits parlent d'eux-mêmes, et l'homme est un loup pour l'homme, qu'il soit noir, jaune, ou vert martien. Ce n'est pas du goût de Flore Saint-Dieu, qui transforme la réalité à sa manière juste pour le plaisir de me contredire. Tu sais comment sont les femmes, frère, et à quelle distance elles recommencent à être charmantes, tu l'as su assez tôt pour te tenir loin de la tienne même si elle était plutôt mignonne.

Une fois, en sortant de l'école, notre fils Gégé s'est fait traiter de « p'tit christ de nègre ! » et s'est fait casser le nez par un skinhead. Comment réagit alors une créature sensée pour consoler son enfant ? Est-ce qu'elle se précipite à S.O.S. Racisme en poussant des hurlements de possédée, comme a évidemment fait sa mère ? Une créature sensée, si tu veux mon avis, vieux, éponge le nez sanguinolent de son fils et lui dit : « Fils, que ça te plaise ou non, cette vie est remplie de violences, il est temps que tu apprennes à te défendre. » Une autre fois, Mélissa est venue ajouter au scrapbook de ses jérémiades matinales le fait que les

Blancs de son collège ne s'assoient jamais aux mêmes tables que les Haïtiens à la cafétéria — remarque bien, frère, que le contraire est tout aussi vrai et qu'une autre façon de dire les choses serait que les Haïtiens de son collège ne s'assoient jamais aux mêmes tables, etc., mais va donc expliquer ça à une adolescente enfiévrée qui vient de regarder Malcolm X pour la troisième fois en oubliant chaque fois les quinze dernières minutes décisives. Bon. Un père sensé dépose-t-il une plainte pour apartheid au ministère de l'Éducation? La réponse va de soi, un père sensé, et doué d'un peu d'humour, continue de boire son unique café et soupire que lui aussi donnerait n'importe quoi, certains matins, pour ne pas être assis à côté de sa fille chérie et de son caractère de chien. Une autre fois, dans l'autobus qui l'emmenait à Outremont où elle fait des ménages pour des gens friqués, Flore s'est fait traiter de « guenon » par une Blanche. Comment réagit un mari sensé lorsque sa femme lui rapporte cet incident? Il ne rit certainement pas devant elle, je peux maintenant te l'assurer, vieux, car c'est ce que j'ai fait et je sens encore sur ma joue gauche la caresse cuisante de ses doigts.

Il ne faut pas tout confondre, c'est ça que je te dis. Moi aussi, des tas de petits trucs me sont arrivés qu'il serait facile d'interpréter idiotement comme des effets du racisme au lieu d'y voir les effets de la surprise. La surprise, frère, est un grand déstabilisateur de l'être humain. Prenons n'importe quel être humain, vieux, prenons toi: tu es là, avec tes deux bras et tes deux jambes, et tu attends quelqu'un que tu ne connais pas pour une réunion ou un de tes trucs musulmans, et c'est un cul-de-jatte qui se présente devant toi: tu es surpris, tu vas peut-être aller jusqu'à le regarder de haut et risquer même une petite blague, rien de plus normal. Remplace le cul-de-jatte par quelqu'un d'une autre couleur, et tu as tout compris. Bien sûr, il y a ceux qui ne reviennent jamais de leur surprise, et il y a ceux qui s'aperçoivent tout de suite après que tu es un honnête homme comme eux qui fait honnêtement son boulot malgré les jambes en moins ou les cheveux orange ou frisés. Les honnêtes hommes, entre eux, savent toujours se reconnaître.

Je te le dis, frère, c'est à Montréal que tu aurais dû t'installer. Ici, tu aurais pu fréquenter peinard ta petite mosquée tranquille et tu serais peut-être même devenu une star de la télévision. Regarde notre frère Dany, qui est un roi à Montréal. Notre frère Dany a le même âge que moi et que toi juste avant que tu te fasses flinguer. Il a écrit ce livre, Comment se fatiguer dans le noir avec un nègre que je lirai très bientôt un jour, et les tapis rouges et les belles filles se sont allongés devant lui. Penses-tu que cela aurait été possible dans une ville balayée par le souffle blanc du racisme, comme le dit si sottement Flore Saint-Dieu? Notre frère Dany ne fait pas dans les courbettes, voilà pourquoi il est un roi. Chaque fois que je l'aperçois à la télévision, mon cœur se gonfle de fierté et d'émotion, et mes bras sentent le vent chaud de Port-au-Prince. Les autres, malgré leurs maquillages de télévision, ressemblent auprès de lui à des subalternes anémiques, car il transporte le soleil partout où il va, le soleil et le rire. Mwen renmen l'*.

Le rire, voilà surtout ce qui t'a fait défaut, mon pauvre vieux Malcolm. Dieu sait où tu serais aujourd'hui si un peu d'humour était venu alléger ton regard sous tes grosses horribles lunettes. À Montréal, peut-être, les deux pieds dans la neige au lieu de les avoir sous terre.

Dans la neige, frère, c'est vrai que la couleur devient importante. Quand la neige est brune, la vie est dégueulasse. Mais quand la neige est blanche, Montréal a l'air d'une jeune mariée.

---

* Je l'aime.

Quand la neige est vraiment blanche, c'est là que c'est facile, c'est là qu'on peut marcher en imaginant que c'est du sable, que la main de Flore Saint-Dieu dans la mienne est redevenue douce, que c'est du sable qui mène à la mer tiède et parfumée.

DÉPAYSEMENT

Devant, c'est bleu. Avec des strates de lumière qui chatoient devant les yeux, jusqu'à les aveugler. Au-dessus de Jeanne aussi, c'est bleu, sauf quand les palmiers viennent furtivement érafler le ciel. Quelque chose de tiède et de parfumé émane de la mer et souffle partout. Jeanne, étreinte par son hamac comme par un amant délicat, se balance dans le tiède et le parfumé.

Ici, les pensées ne pèsent rien, la mémoire est une plume qui ne s'attarde sur aucun récif. Dans le si lointain Montréal, au nom râpeux comme de la laine minérale, dans une autre vie, Jeanne avait un chat, un métier, un homme appelé Claude. C'est du moins ce qu'elle croit, très vaguement, se rappeler. Ici, l'air est trop léger pour posséder quoi que ce soit : lorsque le visage de Claude se risque à refaire surface, il n'a plus de bouche, plus de regard, il navigue dans une brume irréelle, totalement inoffensif.

Loin sur la plage, des silhouettes menues s'agitent, des touristes qu'elle sait québécois pour la plupart. Jeanne se tient là où ils ne viennent pas. La semaine dernière, l'un d'eux a eu le crâne fracassé par une noix de coco ; depuis, ils fuient la proximité des palmiers, terrifiés par ce bombardement végétal dont les prospectus de voyages ne parlent jamais.

En voici deux, pourtant, qui semblent s'avancer vers elle.

Jeanne épie un moment les téméraires à travers ses verres fumés. Un homme et une femme, très bruns de peau, aux formes agréables. Ils marchent rapidement, ils finiront par passer, par se dissoudre à l'horizon. Quand Jeanne ouvre les yeux, plus tard, l'homme et la femme sont immobiles devant elle, face à la mer.

L'homme a les cheveux blonds et un foulard noué à l'indienne autour du front. Il porte sur l'épaule un grand panier d'osier recouvert d'un tissu multicolore. La femme a les cheveux somptueusement noirs et elle ne porte rien, que son maillot réduit à l'essentiel. Ils sont très beaux l'un à côté de l'autre, jumelage inca et scandinave qui rutile au soleil. Ils se parlent à voix basse sans se regarder, dans une langue chantante, incompréhensible. Jeanne dresse l'oreille. C'est leur voix, peut-être, ou la façon qu'ils ont de jeter abruptement les mots l'un derrière l'autre : le drame couve.

La femme lâche tout à coup un sanglot ; elle s'éloigne du rivage en courant, elle frôle Jeanne et s'arrête devant elle, quelques secondes. Ses yeux sont noirs et désespérés. Jeanne, troublée, se lève de son hamac, mais la femme a déjà disparu derrière la frondaison de palmiers et d'amandiers. Lentement, l'homme la suit, son panier oscillant sur l'épaule. Il ne s'arrête pas devant Jeanne, mais il lui abandonne au passage un sourire navré et un regard vert de félin.

Plus tard, en nageant dans la mer, Jeanne les aperçoit là-bas, tranquillement assis sous les amandiers. Ils regardent vers elle, ou vers la mer, on ne peut pas savoir. Jeanne flâne un moment sur la grève, là où le ressac a débusqué des fleurs de sable vivantes, lustrées comme des cailloux. Elle entend soudain un glapissement qui la fige sur place, un cri sauvage qui sourd des amandiers. Elle les voit aussitôt se pencher avec sollicitude sur le panier d'osier. Le cri s'interrompt.

Plus tard encore, bercée par le hamac, Jeanne se laisse glisser dans une courte somnolence et lorsqu'elle ouvre les yeux, l'homme, la femme et le panier d'osier ont disparu. Le jour se vide de sa moiteur.

Maintenant, Jeanne boit une piña colada, attentive au spectacle du soleil se noyant, rouge, dans la mer. D'autres Québécois sont assis à la terrasse, mais Jeanne feint de ne parler qu'espagnol pour éviter les rapprochements haïssables entre congénères. La forêt répand des odeurs lancinantes et sucrées. C'est l'heure où les sakis et les paresseux recommencent à bouger dans les palétuviers. Deux toucans survolent nonchalamment la baie avec des regards brefs de propriétaires.

Jeanne aperçoit une femme qui danse, plus loin sur la plage. Une sorte de magie l'habite et la fait tournoyer dans la lumière. Jeanne la reconnaît tout de suite. Elle cherche des yeux l'autre, avec sa chevelure pâle. À ce moment précis, le garçon dépose devant Jeanne étonnée une autre piña colada, ceinte d'une fleur d'hibiscus. Jeanne tourne la tête : l'homme blond est là sur la terrasse, à quelques mètres d'elle ; il lui adresse un sourire oblique, chargé d'ondes troublantes. Le soleil plonge brusquement dans la mer et presque aussitôt tout s'éteint, tout bascule en bruissant dans la nuit tropicale.

Jeanne allume la lampe extérieure de sa *cabina* : une colonie d'insectes s'y agglutine instantanément, comme obéissant à un signal de ralliement. Jeanne sait que l'homme et la femme occupent la *cabina* voisine. Elle les a vus s'installer, tout à l'heure, elle a vu de quelle insistante façon ils regardaient dans sa direction. Elle attend. Elle est effrayée par la voracité de cette attente. Quelque chose va se passer, qu'elle craint de brusquer.

Ce qui surgit, c'est un cri, le même glapissement strident qu'à la plage. Jeanne se précipite dehors. Elle ne le distingue pas tout de suite, il se tient dans l'obscurité, trahi par sa chemise blanche.

— N'ayez pas peur, dit-il. C'est le kipichu.

— Le quoi?

Il s'exprime dans un français musical, teinté d'un accent indéfinissable. Il explique que le kipichu est leur animal domestique, une créature de la jungle qu'ils ont trouvée et apprivoisée.

— C'est un petit mammifère nocturne qui ressemble à un chat et à un singe en même temps. Il est très affectueux. Et très bruyant.

— C'est lui que vous promenez dans un panier?...

— Oui.

Il rit. Il dit que le kipichu est un tyran qui n'accepte pas la solitude. Il dit aussi que les kipichus sont en voie d'extinction. « Comme notre peuple », ajoute-t-il brièvement, en cessant de rire.

Une lueur feutrée naît sur la véranda, faisant naître du même coup la silhouette théâtrale de la femme, drapée dans un brocart flamboyant qui la rend presque phosphorescente. Elle regarde Jeanne avec un sourire de sphinx.

— Ther, dit l'homme, en la désignant d'un geste gracieux. Ther et Jampi.

Ils attendent, hiératiques et silencieux, qu'elle daigne se présenter à son tour. Impressionnée, Jeanne ne réagit pas tout de suite. Elle finit par livrer son prénom dans une sorte de bafouillage honteux, mortifiée par sa banalité.

— Jhhann, répète la femme, inclinant gentiment la tête en signe d'appréciation.

Ils se mettent à parler dans cette langue inconnue qui fait

ondoyer les voyelles, tout en ne la quittant pas des yeux. Il s'agit d'un dialecte indigène, sans doute, dont bizarrement Jeanne ne se sent pas exclue.

— Ther dit qu'elle aime beaucoup la lumière qui est en vous, traduit l'homme en souriant.

Et maintenant, Jeanne est assise entre eux deux, enveloppée par la luminescence dorée de la véranda et par ce qui émane de leur corps. Elle est heureuse, envoûtée, ces étrangers débordent d'une humanité qu'elle n'a jamais connue avant. Devant eux sur la table, un ananas découpé parfume impérieusement l'air, des caramboles macèrent dans le rhum brun, et Jeanne mange avec avidité comme si chaque bouchée contenait une portion du paradis perdu. Ther et Jampi parlent et rient dans leur langue et ils lui effleurent innocemment le bras, à tout propos. Le panier du kipichu est suspendu au plafond; Jeanne veut s'en approcher, inquisitrice, mais la main de Jampi la retient.

— Il n'est pas là, dit-il. Il court dans la jungle. Mais je te le montrerai. Demain.

Sa main reste là où elle s'est posée; c'est une main hâlée et incroyablement douce. Jeanne sent une angoisse se nouer en elle, tout cela est dangereux, dangereuse la main, dangereux le rhum et le sourire complice de Ther et les effluves affolants de l'ananas, dangereuse la voix de cet homme qui tutoie tout à coup et qui décrète qu'il y aura un demain. Dangereusement irrésistible.

La femme se lève soudain, un gémissement dans la gorge, elle se met à courir vers la forêt en poussant des cris inarticulés. Jeanne s'inquiète de la voir s'évanouir dans l'obscurité, esquisse un mouvement pour la suivre. La main de Jampi la contraint avec fermeté à s'asseoir.

— Laisse, dit-il. Ce n'est rien. C'est la jungle qui l'appelle, elle est en communion avec la jungle, toujours. Elle souffre quand les arbres se lamentent. Dans mon pays, nous savons que nous appartenons à la terre, nous vivons collés sur nos racines.

Ce sont là des mots qui feraient s'esclaffer Jeanne, en tout autre temps, mais le sourire de Jampi est grave et sa main sinue avec une grâce animale dans le cou de Jeanne. Ces gens-là sont fous, bien entendu, la logique raisonnable proclame qu'ils sont fous, mais voilà que le corps de cet homme se trouve si près d'elle maintenant, voilà que la folie change de visage et devient sa vie à elle, la petite vie grisâtre qu'elle se ménage péniblement avec Claude sur le béton de Montréal. «Viens avec nous, souffle-t-il, tandis qu'elle entend au loin le glapissement du kipichu et le rire compréhensif de Ther, viens vivre avec nous», ordonne-t-il, et elle dit oui, elle dit oui à tout, à la révolution totale, au dépaysement et à l'odeur sucrée du corps de cet homme qui la recouvre peu à peu.

Le lendemain, Jeanne se réveille dans sa *cabina*. Elle prend du temps à s'assurer de la véracité du soleil et de la forêt tropicale, à se rappeler que la nuit a bel et bien existé. Elle a mal à la tête. Elle sent le rhum et le jus d'ananas.

La *cabina* d'à côté est vide, bien sûr. Ils sont partis au petit matin en emportant tout, les tricheurs : leurs bagages et la magie semée à la pelle. Tout ?... Non. Ils ont abandonné un ananas sur la table, le panier du kipichu dans un coin, et un ticket de valise déchiré sur le sol.

Le panier contient ces quelques mots : «Merci d'avoir joué avec nous», et un petit singe en peluche, laid et malingre comme ceux que l'on vend aux touristes. Le ticket de valise porte l'identification suivante, élimée par l'usure : THÉRèse et JEAN-PIerre Cotnoir, 7881, rue Saint-Denis, Montréal.

Après examen, l'ananas, par contre, se révèle délicieusement authentique, et Jeanne le dévore sur-le-champ en riant
toute seule.

LA CLASSE LABORIEUSE

Vous ne vous attendiez pas à la trouver là. Elle non plus, visiblement : elle interrompt net la chanson d'amour qu'elle était en train de vociférer, elle en échappe quasiment son plumeau par terre, elle vous regarde entrer avec un rond de bouche si effaré que vous rebrousseriez chemin si vous n'étiez pas chez vous.

Vous avez quitté le travail très tôt cet après-midi ; il faisait un soleil émouvant et lyrique, vous avez baguenaudé deçà, delà en achetant des choses et vous voilà, d'ailleurs vous n'avez AUCUNE explication à fournir à votre femme de ménage, qui s'est finalement ressaisie. Elle vous aide à transbahuter dans la cuisine vos innombrables colis. Elle tâte avec circonspection votre sac de chez La Mer.

— Oh là là ça bouge, s'épouvante-t-elle.

— Ce sont des homards, madame Saint-Dieu.

Vous savez qu'elle s'appelle Flore Saint-Dieu et qu'elle est haïtienne. Ce sont les seules choses que vous savez d'elle, ça et le fait qu'elle vient, une fois par semaine, torcher votre maison. Vous lui enlevez des mains la crème parfumée Dans un jardin qu'elle s'apprêtait à ranger au réfrigérateur — « le sac est tellement jeûli, on dirait un gâteau… », s'excuse-t-elle —, vous la persuadez tant bien que mal de vaquer à ses occupations habituelles. Et tandis que votre kilo de saumon fumé,

153

vos pâtisseries de chez Le Nôtre, vos deux fromages Boursault, votre douzaine de figues à deux dollars cinquante la pièce se fraient, dans vos tiroirs bondés, une place respectable, vous surprenez son regard qui s'attarde — oh, une fraction de seconde — sur les coupons de caisse que vous avez négligemment abandonnés sur le coin de la table.

Vous vous rendez dans votre bureau. Elle s'y trouve déjà ; elle lisse avec un chiffon chacune des lattes de votre store vertical gris anthracite. Ça promet d'être long. Vous ne savez pas trop comment vous comporter avec elle, sa présence vous agace, comme une espèce de furoncle en phase terminale. Elle vous facilite pourtant la tâche, elle se confond avec le store, muette et plutôt grise. Vous l'oubliez. Vous empoignez le téléphone. Vous vous engueulez un moment avec votre agent de voyage au sujet de votre séjour prochain aux Seychelles. Vous argumentez ensuite avec votre comptable à propos de vos placements qui plafonnent. Vous échangez des blagues érudites avec le directeur de l'école privée que fréquente votre fils. Quand vous reposez finalement le récepteur, Mme Saint-Dieu est toujours là, à côté de vous, elle époussette gravement le globe terrestre en s'attardant un peu, il vous semble, sur les zones en bleu.

Vous vous asseyez dans votre fauteuil favori, près de l'entrée. Vous embrassez du regard tout ce qu'il y a d'harmonieux dans ce recoin feutré de votre maison : le guéridon XIXe avec son bois d'or pâle qui tremble à la lumière, la lampe torchère sur pied ouvragé, ce grand dessin d'Yves Bussières au tracé audacieux, et même les vêtements accrochés à la patère…
— le castor sombre de votre femme, votre veste de chez Chapuis Dubuc… Mais… ÇA ?… Vous apercevez tout à coup une chose infâme, jaunasse et poilue, une sorte de fausse pelisse horriblement criarde suspendue comme si de rien

n'était parmi vos beaux objets… Vous en avez mal au cœur, vous vous levez pour décrocher la chose.

— C'est mon manteau!

Vous ne l'avez pas entendue venir, elle est là devant vous, débordant d'une colère cyclopéenne.

— Il est pas jeûli, hein? C'est jamais jeûli, des manteaux de pauvres!

Vous comprenez soudain que vous ne vous en sortirez pas, cela fait trop de temps que vous allez à la mer et qu'elle n'y est jamais retournée, que vous bâfrez du homard pendant qu'elle se nourrit de riz, que ses enfants grelottent dans des tricots bon marché tandis que les vôtres dédaignent leurs Lacoste usagés. Elle se dresse devant vous, Mme Saint-Dieu, haute de toutes les immondices que vous lui avez fait ramasser, elle porte au coin des yeux l'étoile-emblème de la révolution, elle brandit et vous enfonce dans le cœur votre meilleur couteau, un Zwilling & Henckells scrupuleusement aiguisé…

Vous vous réveillez, en sueur, dans votre fauteuil favori près de l'entrée. Mme Saint-Dieu est à passer l'aspirateur, dans une pièce éloignée. Lorsqu'elle vient pour s'en aller, entortillée dans son manteau jaunasse, vous lui offrez d'augmenter ses gages.

— De combien? demande-t-elle.

Elle ne semble pas étonnée, une ombre de sourire glisse sur ses lèvres et chevrote jusqu'à ses yeux, là où elle a une petite ride en forme d'étoile que vous n'aviez jamais remarquée.

LES AURORES MONTRÉALES

Sont gras. Sont cons. Le soir, ils investissent le milieu de la rue et ils malmènent une balle avec des bâtons de hockey jusqu'à ce que les voitures garées la reçoivent en pleine gueule. Le dimanche, ils s'ébranlent en hordes vers leur église, empesés et soumis à côté de leurs mères en noir qu'ils dépassent d'une tête, graves concombres s'obstinant à mariner dans le vinaigre de l'enfance. Celui qui semble le chef de la bande est le plus gras et le plus con de tous, ce qui est dans l'ordre des choses, dans l'ordre des choses telles que vécues au royaume de Babel. Le chef de la bande promène sur Laurel un regard noir et baveux lorsqu'un trottoir les réunit un moment. Dans le livre de Laurel, il s'appellera à jamais Soufflaki, en guise de représailles.

Laurel écrit tout. Il n'est installé dans le quartier que depuis une semaine, mais dix pages de son cahier rouge débordent déjà de commentaires et de ratures. Dans trois mois, il aura suffisamment amassé de matériel pour commencer un livre, un vrai livre sur le vrai visage désolant du nouveau Montréal. Ce n'est pas parce qu'on a seize ans qu'on est dépourvu de vision. « Fils, lui dit à l'occasion son père, entre deux bouffées d'herbe et trois traits de peinture, tu es plus vieux et meilleur que moi, tu as cinquante-six ans, puisque tu as déjà tout compris de mon âge et du tien. »

Son père peint, enseigne, fume de l'herbe, rit et dort sur le plateau Mont-Royal depuis la préhistoire de Laurel. Son père est un francophone de souche, l'un de ces opiniâtres termites que les marées anglophone et allophone n'ont pas réussi à évincer de la galerie primordiale. (Et dont il est maintenant malvenu de mentionner l'existence, pense Laurel.)

Sa mère est d'une eau différente.

Sa mère pourrait être n'importe quoi, à voir la façon dont elle pactise avec l'étrange, dont elle plonge ses racines malléables dans toutes sortes de terreaux suspects. Sa mère habite le quartier grec limitrophe du quartier hassidim, tient un magasin d'aliments naturels chez les Anglais, fait ses emplettes chez les Italiens et couche avec un Chilien. Dans le livre de Laurel, elle s'appellera Iouniverselle et disparaîtra précocement, victime d'assassinat ou d'assimilation.

Laurel referme son cahier, mais ne se risque pas encore dehors. Dehors, Soufflaki et quelques-uns de ses mous acolytes occupent le territoire, montés sur des patins à roues alignées. L'affrontement viendra bien assez tôt, mieux vaut d'abord observer l'adversaire et fourbir ses armes en secret. Soufflaki porte un long T-shirt par-dessus son ventre qui tressaille, avec au dos une inscription en rouge qui tournoie trop pour être intelligible. Il patine bien, l'animal. Lorsque sa mère surgit dans la porte d'en face et hurle quelque chose dans leur sabir, le dos de son T-shirt redevient suffisamment immobile pour que Laurel puisse lire : *I'm not deaf, I'm ignoring you.*

Les mères de Soufflaki et de ses semblables ont des voix stridentes, qu'elles lancent dans la rue comme des grenades. Les pères sont plus discrets. Celui de Soufflaki se tient dans la fenêtre à cœur de jour en se fouillant méditativement les narines.

Soufflaki disparaît chez lui, toujours dressé sur ses patins d'esbroufe. C'est le signal pour que les autres se dispersent instantanément et que la voie se libère enfin.

Laurel sort. Depuis le début de cette semaine passée dans l'intimité touffue de Iouniverselle, il a appris à marcher sans repos et sans distraction, fébrile guérillero traquant les indices incriminants. L'avenue du Parc, par exemple, est un champ de bataille linguistique, une micro-Babel où tonitrue la laideur. Laurel ralentit invariablement le pas devant les magasins d'ordinateurs où se dénichent toutes sortes de *hardwares compatibeuls,* les marchands de tapis *beautiful* où s'entassent les *merveilleux carpettes de Turkish.* Sont tarés. Sont *inncrédibeuls.* Braqué devant la vitrine, ricanant et courroucé, il sort son cahier qu'il balafre de phrases vengeresses, souvent sous le regard du propriétaire qui lui adresse un sourire approximatif, incertain sur ses intentions mais ne prenant pas de risque. Une fois, embusqué devant un snack-bar *(Nous fésons les poutines tostés),* Laurel a aperçu un garçon de son âge, le calepin à la main lui aussi, et qui prenait des notes effrénées. En moins de deux, bravant sa réserve habituelle, Laurel s'est retrouvé auprès de lui, la main presque tendue et le cœur ramolli par un début d'amitié authentique — compagnon de lutte, ô mon frère, serions-nous du même côté de la barricade?... Le garçon, méfiant, a enlevé de ses oreilles les écouteurs de son baladeur — *What dayawant?...* — et Laurel a vu que ce qu'il copiait dans son carnet avec autant d'acharnement, c'étaient les mots d'une chanson dont les ondes très *hard metal* et terriblement *English* se répandaient maintenant librement dans la rue. Oups. *Exquiouse me.*

Il est seul, bon, il s'en doute depuis longtemps, et peut-être un jour finira-t-il par s'y faire. Il est seul, échappant aux statistiques idiotes et aux clichés, il n'est pas cet ado fluo en panne de cause et d'orthographe que les sociologues ont érigé en norme et que les journaux n'arrêtent pas de fustiger. Sont morons. Pourquoi, à seize ans plus qu'à cinquante, on serait tous faits pareils?...

Il n'a pas de patins à roues alignées et il refuse d'aimer le vélo de montagne. Il n'a jamais couché avec une fille. Il lit, plutôt que d'écouter la télévision, il lit des livres québécois-de-langue-française à l'exclusion de tous les autres. Il connaît par cœur Michel Tremblay, il a emprunté à Francine Noël son image montréalaise de Babel, il vénère Sylvain Trudel et Gaétan Soucy et Esther Rochon et Louis Hamelin. Et il a trouvé sa Cause, celle à qui il vouera s'il le faut toutes ses énergies neuves et recyclées : Défendre le Montréal français contre les Envahisseurs.

Ce n'est pas simple, ça ne va pas sans heurt, entre autres avec la lénifiante Iouniverselle qui ne voit pas les ennemis et qui vendrait son âme pour communiquer. Depuis qu'ils ont recommencé de vivre ensemble, il n'y a pas moyen d'avoir avec elle un échange énergique, un affrontement qui en vaudrait la peine. Il pointe le doigt sur les irréfutables accrocs et sur les périls innombrables qui guettent leur ville, elle écoute Laurel en souriant, comme s'il n'était pas un adversaire digne d'elle, elle n'élève jamais la voix, elle lui caresse la joue pendant qu'il voudrait mordre. « Tu es un intelligent petit con, mais tu changeras », dit-elle en souriant.

Il la tuerait s'il ne l'aimait pas tant, pauvre agnelle aveugle courant à l'extermination, il se contentera de la tuer dans son livre, pour qu'elle comprenne enfin à quels dangers réels il a voulu la soustraire.

Les dangers réels sont infiltrés partout et épousent toutes les formes. Parfois, ils n'ont rien à voir avec la langue et endossent, bien pis, des oripeaux spirituels. Tout ce qui est marque ostensible d'appartenance religieuse, tous ces voiles, turbans, képis, boudins, croix et salamalecs qui fleurissent autour de Laurel sont pour lui une subtile menace, une entrave à la liberté fondamentale, la liberté de ne croire en rien et d'en être malheureux comme les pierres, pourquoi pas.

Il y a un pâtissier syrien, avenue du Parc, dont les baklavas à l'eau de rose et à la crème de pistaches laissent dans la mémoire une impérissable empreinte. Laurel s'y est rendu deux fois, depuis le début de la semaine, et aujourd'hui encore il y retourne. Ce Syrien est un petit homme affable, qui parle un français impeccable, qui accueille les clients comme s'il s'agissait d'amis chers enfin retrouvés. Dommage. Chaque fois qu'il s'apprête à parler d'argent, le voici à demi incliné, les mains en tente devant son front, adressant à quelque Moloch ou Tanit barbare une prière muette en forme de piastre (« Combien, Seigneur, dois-je réclamer pour ces délicieux biscuits au sésame ? » ou : Reçois, cher Dieu, ces deux dollars quatre-vingt quinze qui s'additionnent aux trois cent dix mille dollars et quarante cents déjà versés pour le salut de mon âme »). Sont irritants. Chaque fois qu'il se trouve témoin de cette intempestive dévotion, Laurel pense aux promesses moelleuses du baklava pour museler son agacement. Aujourd'hui, il ne sait d'où lui vient son audace, mais le petit Syrien immobile devant la caisse ne s'est pas aussitôt collé les mains au front que Laurel l'interrompt sarcastiquement : « Puis-je savoir ce que vous Lui dites, au juste ?... » Le petit Syrien se redresse, aimable et interrogatif, les mains toujours en cône, et tout à coup Laurel comprend. Il ne s'agit pas d'un geste de fanatique, mais d'un geste de commerçant, le pâtissier protège tout simplement de la lumière les chiffres de son écran pour pouvoir les lire, tout simplement et prosaïquement. Laurel, mécontent de lui, sort rapidement après avoir balbutié des salutations, et le baklava à l'eau de rose qu'il enfourne sans le mastiquer lui semble pour la première fois infiniment trop sucré.

Par chance, il y a le mont Royal. Déjà, lorsqu'il habitait rue Rachel avec son père, Laurel disparaissait fréquemment dans les versants boisés de cette petite montagne, plus collinette que montagne à vrai dire, tournant paresseusement sur elle-même plutôt que de se hâter de dévoiler son sommet. Le mont Royal est devenu plus accessible encore de l'appartement de Iouniverselle, une consolation de verdure et d'harmonie après cinq cents mètres de déboires visuels. Sur le mont Royal, maintenant comme dans son enfance, la solitude de Laurel se transforme en vêtement étincelant. Il est un prince qui gravit pas à pas son royaume, mélancolique comme tous ceux promis à un destin exigeant, tandis qu'autour de lui se pressent vers l'infarctus les manants joggers et les cyclistes fous. Il est un aventurier de la lenteur auquel n'échappe nul bruissement soudain, nul mouvement des arbres ou du vent. Toutes sortes d'étonnements peuvent saisir celui qui emprunte les sentiers secondaires du mont Royal, dans la lenteur et l'attention. Une fois, Laurel a vu un écureuil albinos, étalé sur le tronc d'un érable telle une vieille plaque de neige. Une fois, il a trouvé sur le sol un nid de guêpes parfait et vide, une merveille d'architecture légère qu'il possède encore. Une fois, il s'est allongé dans l'herbe à puce et ses jambes en ont gardé deux années durant de cuisants souvenirs. Une fois, il a surpris sept ratons laveurs devisant autour d'une poubelle pleine. Une fois, il a cueilli parmi le muguet sauvage un billet de vingt dollars enroulé autour d'un cube de haschich. Une fois, il est tombé sur deux hommes nus en train de se masturber mutuellement. On ne peut jamais prévoir exactement de quelle nature seront les étonnements, sur le mont Royal.

Le plus étonnant cependant pour Laurel, lors de ces ascensions sinueuses qui le mènent là où la montagne s'immobilise enfin à la rencontre de la ville, c'est de sentir peu à peu un étranger s'installer dans son esprit, et d'aimer cet étranger. Il est difficile d'être en même temps un prince mélancolique et un prince enragé. Assis en haut du mont Royal, Laurel flotte dans un brouillard, doux et triste prince dénué de colère. Il regarde de vieux Portugais aux dents pourries prendre une collation plus loin, et il les trouve beaux. Il regarde la ville brandir contre le fleuve les aiguillons de ses gratte-ciel, et il lui trouve une gracieuse modernité de carte postale. D'ici, Montréal ne fait pas mal.

Aujourd'hui, le ciel est immense et clair, les bouleaux agitent leurs feuilles parfumées, la vie se tient devant, à une distance effrayante. Laurel mâchonne un brin d'herbe. Quand donc sera-t-il heureux, quand donc tombera-t-il dans les bras d'une femme passionnante ou d'une exaltante carrière, quand donc vivra-t-il pour de vrai, quand? De là-haut, il devine sa rue, un ruban dentelé contre les flancs du parc, et il voit l'immeuble où habite Soufflaki, gris mais brillant au soleil. Le nom de Soufflaki soulève quelque chose de mauvais en lui, un poignard d'irritation. Le prince noble crache au loin son brin d'herbe et sa léthargie. Soufflaki Soufflaki Soufflaki. « Un jour, se dit-il, un jour il va me casser la gueule. »

Il sort de son sac son cahier rouge et l'ouvre au hasard. La lumière bouge sur le papier vierge et allume, s'il la regarde longtemps sans ciller, des ombres colorées qui ressemblent à des aurores boréales. Tout à coup, le titre de son livre lui apparaît, fulgurant sur la page blanche. *Les Aurores montréales.* Son livre s'appellera *Les Aurores montréales,* parce que, s'entend-il commenter, une cigarette aux lèvres, lui qui ne fume pas mais qui devra fumer un jour s'il veut dégager une image de force et de nonchalance, parce que Montréal est une ville qui n'arrête pas de changer — les journalistes notent frénétiquement tout ce qu'il dit pendant qu'il tire avec virilité sur sa cigarette —, est une ville qui additionne tellement les nouveaux visages que l'on perd toujours celui que l'on croyait enfin connaître — une journaliste particulièrement jolie lui adresse un sourire extatique et une autre lui remet en catimini son numéro de téléphone. Sont folles de lui.

Il suffit de marcher encore une demi-heure, lorsqu'on se trouve au sommet de la montagne, pour déboucher sur le versant opposé au lac des Castors et finalement dans l'avenue Decelles, où Iouniverselle a son magasin d'aliments naturels.

Le magasin est fréquenté presque exclusivement par des anglophones et s'appelle Nature, que l'on prononce *Nétchioure*, la bouche arrondie en trou de beigne. Iouniverselle songe à ouvrir dès cet été un café attenant au magasin, dans lequel Laurel pourrait entreprendre sa vie publique rémunérée.

En poussant la porte, Laurel sent qu'il arrive au mauvais moment. Iouniverselle et son Chilien sont seuls dans le magasin mais occupent tous les atomes disponibles de l'espace. Leurs visages se tiennent très près l'un de l'autre comme s'ils étaient sur le point de s'embrasser ou de se mordre. Seul le Chilien tourne les yeux vers Laurel et lui fait un sourire. « Hola ! », dit-il. Holà toi-même. Iouniverselle garde la tête obstinément penchée, sa façon discrète à elle de montrer qu'elle pleure.

Bien entendu qu'il a toujours été mauvais pour elle, cet Hola trop beau qui ne sait pas dire « Hello » même après des années de Québec français, bien entendu qu'il était fait pour lui tirer des larmes. Un homme ne peut pas être loyal avec des yeux pareils, des yeux doux et noirs comme des lacs quand ils se posent sur sa mère et l'emprisonnent, des yeux qui ont dû piéger dans leur cloaque toutes les femmes.

« Pedro s'en retourne à Santiago », dit Iouniverselle, en levant bravement vers Laurel son visage défait. Hola la prend dans ses bras, Hola prononce son nom avec les intonations liquides d'un chanteur de charme, « Pôline », il dit : « Tu viendras me rejoindre, Pôline », et ça ne peut pas être sérieux, dit comme ça avec tant de « ou » et de roulés sucrés dans la phrase. D'ailleurs, même Iouniverselle-Pauline hausse les épaules pour signifier qu'elle n'est pas dupe de l'absurdité de cette proposition-là, de cette chanson de charme-là.

Hola s'allume une cigarette. Il doit être content que Laurel soit là pour partager le drame et le diluer, il n'arrête pas de tenter de le capter dans les marécages de son regard. Laurel ne le regarde que du coin de l'œil, juste assez pour le voir fumer. Hola a une façon particulière de fumer, très aristo, il tient sa cigarette de tous les doigts de sa main et, quand il expulse la fumée, il lève un peu la tête vers des gens invisibles et il souffle avec force, une façon aristo ou macho on ne sait pas, mais quand un jour Laurel fumera, c'est comme ça qu'il veut fumer. Iouniverselle qui ne fume pas s'allume elle aussi une cigarette et la fume nerveusement, n'importe comment, en fronçant démesurément les sourcils pour s'empêcher de pleurer.

Laurel sent bien qu'il devrait partir à ce moment-là, il se trouve en plein milieu de quelque chose qui ne le concerne pas et qui n'a pas encore connu son aboutissement, il empêche un abcès de crever complètement. Mais il reste là, exprès, en regardant fixement Iouniverselle. Je te l'avais bien dit, ils viennent ici, ils prennent tout et ils s'en vont. Voilà les mots qu'il n'a pas le droit de dire et dont il lance la semence informulée de toutes ses forces vers elle. Elle la reçoit. Son visage change et devient très pâle, elle arrête de fumer, elle dit à Laurel d'une voix de glace : « Va-t'en, Laurel. Tiens, va manger des sushis, je te donne l'argent, va. »

Il ne prend pas l'argent qu'elle lui tend comme à un mendiant, il s'en va sans se retourner en claquant la porte, sa mère le chasse, sa mère lui a toujours préféré les étrangers, toujours.

Par chance, oui, il y a les sushis. Avec le mont Royal, c'est encore ce qu'il y a de meilleur à Montréal, les deux oasis qui rendent cette inhospitalière Babel à peu près supportable. Déjà, lorsqu'il habitait rue Rachel avec son père, ils allaient fréquemment le dimanche au Mikado de la rue Laurier et tout était super et inoubliable, jouer avec les baguettes, déguster le raifort très fort et les petits poissons colorés comme des bonbons. Parfois, sa mère les rejoignait pour l'occasion et prenait le bras de son père en buvant trop de saké, comme si l'exaspération ne les avait pas un jour éloignés l'un de l'autre, comme si le puzzle de leur famille avait encore tous ses morceaux.

Maintenant, Laurel n'a plus besoin de personne pour manger des sushis et savoir ce qu'il aime. Il aime le thon à queue jaune, il aime les oursins sucrés et les psychédéliques *sunrise* qui éclatent dans la bouche, il aime les *California rolls,* il aime la saveur de moelle des anguilles d'eau douce et le feu luxuriant des kamikazés, il aime terminer par un cornet de thon piquant, et il lui faut tout cela, toujours, dans le même ordre, toutes ces pièces de festin indissociables qui lui ravagent la totalité de ses économies.

Et il aime regarder les Japonais, il aime par-dessus tout s'asseoir au comptoir face à l'énigme de leur visage.

Ces Japonais rient beaucoup, comme si travailler était de la rigolade, ils manipulent en riant le riz collant, les feuilles d'algues et les poissons pastel qui se transforment en joyaux sous leurs doigts, et tout en travaillant et rigolant, ils suivent tout de leurs yeux hilares et vigilants, ils ne ratent jamais un client important qu'ils saluent par son nom, à voix haute, avec une inclinaison respectueuse du buste. C'est cela que Laurel épie sur leurs visages, ce passage abrupt de l'espièglerie à la vigilance, ce masque qui en recouvre un autre sans jamais laisser voir les traits véritables. Peut-être est-il pour eux une énigme, lui aussi. Mais peut-être au contraire l'ont-ils immédiatement percé à jour, lui ainsi que tous les clients balourds qui réclament sempiternellement les mêmes plats, peut-être sont-ils très forts, doués d'une faculté d'adaptation remarquable qui leur fait endosser aussitôt le visage qu'il faut au bon moment.

« Ils sont ici comme ils seraient partout », écrit Laurel dans son cahier rouge. Et il renchérirait, il trouverait d'autres mots plus durs pour condamner leur impénétrabilité, mais voilà que le garçon dépose avec un sourire les joyaux délicats devant lui, et voilà qu'il referme son cahier et oublie tout, les œufs de poisson volant explosent sur sa langue contre le jaune d'œuf de caille et le sel du pétoncle, il ferme les yeux et il oublie la ville cafardeuse, la bouche remplie de déflagrations savoureuses il oublie le visage de Iouniverselle si triste et si hostile, en état de jouissance extrême il oublie que la vie est moche et qu'il a des ennemis.

Les ennemis véritables ne se laissent pas longtemps oublier.

Quand il marche vers chez lui dans la pénombre, Laurel discerne peu à peu des silhouettes noires glissant sur le trottoir, des spectres à roulettes. Il ralentit le pas, mais il est trop tard pour rebrousser chemin. Les silhouettes ondoient, menaçantes, dans sa direction. Sont bouclés. Sont gras. Sont cinq. Il a marché, comme un imbécile, directement au centre de leur toile.

Laurel serre contre lui son cahier rouge, dérisoire bouclier. Il les regarde décrire vers lui leurs cercles concentriques, de plus en plus proches. Soufflaki se détache du groupe et vient nonchalammment esquisser quelques glissades aériennes avant de freiner devant lui.

La rue est à l'image de l'existence, noire et indifférente. Il n'a jamais été aussi seul, mais peut-être un jour finira-t-il par s'y faire.

Soufflaki s'avance encore. Il dit quelques mots, en grec peut-être puisque Laurel ne saisit pas. Les poings serrés, prêt à bondir, Laurel le fait répéter. « What ? »

« Bienvenue à Montréal », dit Soufflaki. Laurel les regarde à tour de rôle : il se sent comme au théâtre, comme aux sushis devant les énigmatiques Japonais. Les cinq garçons ont bizarrement le visage barré par un sourire.

Plus tard, la nuit entre à flots dans la chambre de Laurel, mais il ne dort toujours pas. Les sanglots de sa mère parviennent indistinctement jusqu'à lui, comme un roucoulement d'oiseau exotique. Laurel ne comprend pas ce qu'il ressent, quel est ce trou à l'intérieur de lui, ce gouffre de perplexité et d'ignorance. Il a jeté son cahier rouge dans la poubelle. Il ne sait rien, il faut repartir à zéro. La seule chose qu'il sait, c'est qu'il doit se lever, maintenant, et aller prendre Pauline dans ses bras pour la consoler.

OUI OR NO

C'est l'histoire d'une femme qui rencontre un homme sans le rencontrer vraiment. Il y a beaucoup d'histoires de femmes qui rencontrent des hommes sans les rencontrer vraiment, beaucoup trop je sais bien. Encore une autre, allons, une dernière pour la route.

C'est l'histoire aussi d'un petit pays confus encastré dans un grand pays mou. Le petit pays n'a pas de papiers officiels attestant qu'il est bien un pays. Il a toutes les autres choses qui font un pays, mais les papiers, ça, il n'a pas. Parfois, il s'assoupit paisiblement dans le lit du grand pays mou en rêvant qu'il est chez lui. Parfois, il rêve que le grand pays mou l'enserre et l'engloutit dans ses draps marécageux et il se réveille avant de disparaître.

La femme de l'histoire habite ce petit pays. Elle s'appelle Éliane. Elle vit depuis des années avec Philippe, qu'elle appelle affectueusement Filippo pour des raisons oubliées. Lorsque l'histoire commence, elle est allongée sur un sofa tandis que Filippo pianote sur la télécommande du téléviseur. Elle regarde Filippo mais elle pense à Nick Rosenfeld, avec qui elle a couché la semaine dernière. C'est l'heure où la journée s'affaisse sur elle-même, immatérielle et épuisée. C'est l'heure aussi où le petit pays parle, à la télévision.

Il s'agit d'un moment historique, peut-être. Le petit pays

se trouve dans une période de réveil et d'asphyxie, il réclame un lit à lui pour fuir les étreintes suffocantes. Cela prend des papiers en règle, des chartes, des cartes, un diplôme certifiant qu'il est bien un pays. Mais voilà. Les papiers ne sont pas gratuits, il faut les payer cher, il faut consentir à des sacrifices. Alors le petit pays consulte sa population, consulte, consulte. Il demande : « Nous permettez-vous d'acheter les papiers qui vont nous permettre d'être suffisamment en règle pour nous permettre d'avoir un lit à nous ? Oui ou non. » Quand tout le monde aura été consulté, il y aura encore une ultime consultation, puis tout le monde ira enfin dormir.

La semaine dernière aussi ils parlaient du petit pays, juste avant que la bouche de Nick Rosenfeld s'empare de ses doigts à elle et les dévore de façon aussi audacieuse que surprenante. Après, ils n'ont plus parlé de rien. De l'autre côté de la fenêtre, l'édifice du *Toronto Star* braquait haut ses lettres lumineuses. Elle n'imaginait pas que la bouche de Nick Rosenfeld, si froide et intelligente, puisse se muer en organe sexuel. Elle n'imaginait pas des mots de fièvre dans cette bouche en possession du discours. *(Oh Éliane. My dear. Oh you. You.)* Ce qu'on n'imagine pas et qui survient quand même est un puissant élixir.

Chaque soir, le petit pays résume à la télévision l'état des consultations. On peut suivre aussi tous les détails dans les journaux, mais la télévision donne un meilleur spectacle des passions vraies incendiant les vrais visages. Et puis à la télévision il y a Philippe-Filippo. En différé, il fait des commentaires et pose des questions. Le Filippo à côté du sofa d'Éliane n'est pas tout à fait le Philippe de la télévision. Celui de la télévision reste souriant et imperturbable peu importe ce qui déferle autour de lui. Celui à côté d'Éliane s'emporte et fulmine et enterre parfois le son de sa propre voix télévisuelle sous une émotion incontrôlable.

L'émotion est une huile frémissante qui s'enflamme vite chez les habitants de ce petit pays. C'est peut-être la faute de leurs ancêtres latins. Par exemple, tout à l'heure au téléphone, bien avant que Filippo arrive, l'émotion a dévasté net le souffle d'Éliane. *(Hello, Éliane. It's Nick Rosenfeld. Is it a good time to call?...)*. Et cela s'est aggravé, durant les trente minutes qu'a duré l'appel, ni le souffle ni la capacité de former des phrases complètes ne sont revenus. La voix de Nick Rosenfeld se frayait dans son oreille un chemin inéluctable, chaude et assurée comme un pilier, comme un organe sexuel. *(When are you coming back to Toronto?)*

Le Philippe dans le téléviseur écoute posément quelques concitoyens du petit pays qui tergiversent, soupèsent, s'effraient. Faut-il vraiment changer? Un lit neuf ne sera-t-il pas trop dur, trop petit, trop grand? Dormir seul n'est-il pas terrifiant? Comment s'assurer qu'on ne fera pas de cauchemars? N'existe-t-il pas des façons moins draconiennes d'échapper aux coups de pied et à l'asphyxie? Pourquoi ne pas ramper vers le rebord du vieux matelas? Pourquoi ne pas se gaver de somnifères? Le Filippo dans le salon près d'Éliane laisse exploser la colère si magistralement absente de ses prestations télévisuelles. « Écoute-les, dit-il à Éliane. Écoute parler leur dignité et leur grandeur. Moutons courageux, grince-t-il. Voilà un emblème totémique à leur mesure, *Mouton courageux.* » Éliane partage les convictions de Filippo. Éliane ressemble à Filippo. À quel moment précis un couple s'éloigne-t-il de la passion pour s'acheminer vers la ressemblance?

Nick Rosenfeld et Éliane gravitent à des années-lumière l'un de l'autre. Où se trouve maintenant l'espace qu'ils ont fiévreusement occupé ensemble? Quand elle entend de nouveau sa voix au téléphone, plusieurs jours plus tard, cet espace ressurgit devant elle comme le seul territoire habitable. Elle ne voit plus l'écran de son ordinateur, les murs familiers qui abritent son univers, elle ne sait plus où elle est, elle redevient un corps vaincu et transporté que Nick Rosenfeld fouille opiniâtrement du sexe et de la langue, cherchant avec voracité quelque chose qu'il ne se lasse pas de ne pas trouver. Il prononce son nom « Alien », comme le monstre de l'espace, comme l'étranger qu'ils sont l'un pour l'autre. Elle ne comprend pas tous les mots qu'il dit. Elle comprend surtout ce qu'il veut très fort. Il veut retourner avec elle, le plus tôt possible, dans ce pays enflammé où n'existent ni frontière ni nationalité, où il fait si bon brûler, enfin dépossédés du tiède et de l'accessoire. *(Are we going to let this die? When are you coming back to Toronto?)*

Le petit pays, malgré lui, a fait une première victime. Pendant une séance de consultation, un homme très ému a avoué qu'il participait pour la première fois à quelque chose d'important, puis il s'est écroulé, terrassé par un infarctus. Filippo et Éliane en discutent, étendus fraternellement côte à côte. Les victimes ne choient jamais là où on les appréhende. Pour la première fois, Éliane est gênée par la chaleur du corps de Filippo. Pour la première fois, elle le sent en danger. Elle se serre contre lui pour le protéger de Nick Rosenfeld. Danger. *Jeopardy.* Elle a longtemps cru que *Jeopardy* était une sorte de léopard, avant de regarder dans le dictionnaire.

Ils se parlent toujours dans sa langue à lui, même s'il dit comprendre sa langue à elle. La conversation est périlleuse, bien sûr, puisqu'elle doit naviguer entre l'écueil de l'émotion et l'écueil des mots étrangers. Chaque fois qu'à l'autre bout du fil Nick Rosenfeld raccroche, elle cherche et trouve trop tard dans le dictionnaire ce qu'il aurait fallu lui dire, elle prépare des phrases terriblement efficaces qui s'évanouissent au moment de les prononcer. *(Your accent is adorable.)* La conversation est périlleuse et inégale. Quand enfin elle parvient, après de laborieux entortillements, à lui exprimer le bouleversement que lui cause sa voix au téléphone et la frayeur surtout que lui cause ce bouleversement, sa réponse à lui la foudroie. *(Same here.)* Oh cette langue lapidaire qu'il a, cette langue en coups de poing. Comment résister à une langue qui va droit au but et qui persiste si longtemps dans la mémoire? *(Oh Éliane. My dear. Oh you. You.)*

Les attentes sont source de palpitations et de souffrances, mais l'humanité n'a rien trouvé de mieux pour rester éveillée. Le petit pays, par exemple, s'attend à ce que sa population accepte avec exaltation les sacrifices qui mènent au lit neuf, s'attend à ce que le grand pays accueille avec bienveillance ses velléités d'indépendance et lui prête même des oreillers. Éliane s'attend à un bouleversement fondamental si elle obéit à la voix de sirène de Nick Rosenfeld l'intimant sans relâche de revenir près de lui. *(Are we going to let* this *die?)* Que se passera-t-il s'il dit « *I love you* », mots terrifiants et cinématographiques qui débouchent sur un abîme? Que se passera-t-il s'il ne les dit pas? Qu'arrivera-t-il au petit pays s'il ne parvient à convaincre personne? Il faut cesser d'avoir peur. Il faut aller voir.

Rien n'est plus rapide que de glisser du petit pays au grand, rien ne se fait plus machinalement. On prend l'avion parmi des gens d'affaires aux mallettes bourrées de statistiques, et on atterrit une heure et demie plus tard aux côtés de Nick Rosenfeld.

Éliane avait oublié que Nick Rosenfeld est grand et froid comme un paysage polaire. Ses yeux se dissimulent sous des verres fumés. Dans la voiture qui quitte l'aéroport, il conduit vite et il parle avec réserve. Éliane est figée par l'effroi jusqu'à ce que soudainement, à un feu rouge, Nick Rosenfeld s'empare de sa main et la broie dans la sienne. Chez lui, presque tout de suite après, il la débarrasse de son sac, de ses hésitations, de ses vêtements, et voilà que la magie recommence — sa bouche fraîche et avide sur elle comme sur un Stradivarius, la musique ardente de sa voix. *(Oh you. Éliane. Oh my dear. My love.)*

Ils font l'amour toute la journée, toute la soirée — huit fois de suite, s'émerveille mentalement Éliane lorsqu'une accalmie lui redonne la faculté de compter. Ils expédient rapidement le foie gras et le champagne apportés par Éliane : l'hédonisme triomphant de Nick Rosenfeld est tout entier concentré ailleurs. *(You're so sexy. You're so. Oh you.)* Tard dans la soirée, les jambes toujours emprisonnées par celles d'Éliane, il étire le bras et il joue un moment avec la télécommande du téléviseur. Le monde habituel, un monde extraordinairement étrange tout à coup, envahit l'écran devant eux : que font là tous ces gens habillés et anxieux, pourquoi discutent-ils douloureusement au lieu de se caresser ? Éliane se dresse sur un coude quand elle reconnaît Filippo. Le petit pays parle, en différé. Vu d'ici, entre des draps étrangers mouillés par le plaisir, le petit pays semble si triste et pathétique. Le visage de Filippo est celui d'un chevalier fourbu en quête du Saint-Graal qui se dérobe sans cesse. D'ici, entre des draps froissés que ne glace aucune peur, on peut voir à quel point la quête du petit pays est une épreuve. Comment abréger cette épreuve, comment éviter qu'elle revienne inlassablement ? Oh la détresse si apparente du petit pays, qui voudrait tant être fort et sûr de lui, qui souhaiterait tellement ne plus craindre de disparaître. Éliane demande à Nick Rosenfeld d'éteindre le téléviseur.

Nick Rosenfeld est en proie à une mystérieuse alternance. Debout, il devient raide et prisonnier de phrases compassées.

(We get along so well. I am sure we will be friends.) Allongé, il brûle comme un volcan aux laves inépuisables. *(Oh Éliane. Oh lovely. Oh you. You.)* Toutes ces heures où ils s'étendent l'un dans l'autre sont terriblement explosives. Mais comme il faut bien se lever pour se rendre quelque part, c'est le Nick Rosenfeld vertical et glacial qui reconduit Éliane à l'aéroport. Par quelles blessures, quels trous invisibles perd-il si soudainement sa chaleur? Mieux vaut ne pas s'acharner sur des questions sans réponses. Mieux vaut prendre un journal dans l'avion pour fuir l'inexplicable. L'inexplicable se trouve aussi dans les journaux de l'avion. Il est écrit, dans ces journaux de l'avion édités par le grand pays, que le petit pays n'est pas un pays. Il est écrit que le petit pays n'a rien de distinctif, rien à préserver, rien à exiger. S'il change de lit, on lui rendra le sommeil impossible. Pourquoi le petit pays, composé de tout ce qui forme un pays, n'est-il pas un pays? Les journalistes du grand pays ne le disent pas. Encore une question abandonnée sans réponse, encore de l'inexplicable difficile à fuir.

La chose à faire en revenant serait de retourner à l'ordinateur et aux murs familiers comme si rien ne s'était passé. Rien ne s'est passé peut-être, puisque Filippo ne sent aucune odeur nouvelle sur Éliane. Les odeurs sont dissimulées à l'intérieur, en compagnie de la voix horizontale et fiévreuse de Nick Rosenfeld, et cette entité clandestine trépigne et gronde à la recherche d'air.

Peut-on être amoureuse du souvenir d'une voix et d'une bouche, obsédée par ce qu'on sait n'être qu'un mirage qui nous laissera plus assoiffée qu'avant si on s'obstine à le revisiter? Il semble que oui. Éliane connaît les parties froides de Nick Rosenfeld et l'exiguïté de leur territoire commun. Elle constate aussi que l'affrontement de leurs corps a banni celui de leurs intelligences : depuis cette fois-là où la bouche de

Nick Rosenfeld a rompu en elle une digue, il n'a plus été question de grand et de petit pays entre eux, il n'a plus été question de rien de raisonnable ou de professionnel. Pourtant, elle souhaite reconstituer un tout à partir des parties torrides de Nick Rosenfeld, comme si ses parties froides n'avaient pas déjà remporté la bataille. Nick Rosenfeld l'a rejetée, puisqu'il ne rappelle pas.

C'est de rejet que l'on meurt le plus douloureusement. Il y a des moments devant le téléviseur où Filippo et Éliane ne parlent pas. Lorsqu'ils entendent les témoignages de gens venus d'ailleurs, installés ici depuis longtemps, et qui nient toujours l'existence du petit pays dans lequel ils nichent confortablement, Filippo et Éliane sont étreints par une douleur qui leur écrase les mots dans la bouche. Les mots n'existent pas pour condamner ces gens venus d'ailleurs, aux bonnes têtes sympathiques, qui rejettent, de leurs hôtes, le droit à la survie. Filippo et Éliane ont travaillé collectivement si fort pour se mettre dans la peau des autres qu'ils comprennent même les motifs complexes de ce rejet. Mais la douleur reste là, accablante : comment supporter que les autres, à leur tour, ne se glissent jamais dans leur peau à eux ?

Éliane décide d'écrire à Nick Rosenfeld. Elle veut savoir quelle était cette chose essentielle exigeant sous peine d'être compromise qu'elle retourne près de lui *(Are we going to let this die?)* et qui s'est terminée là avant qu'elle la voie éclore. Ce n'est pas facile à formuler. Il faut se battre encore une fois sur son terrain à lui, palper sous tous leurs angles les mots étrangers pour en pressurer l'âme. Éliane traduit mentalement dans la langue de Nick Rosenfeld tout ce qu'elle entend, en manière d'exercice. *Pass me the butter. Give me a break. Do you agree with the law voted by the National Assembly and proclaming a new bed? Yes or No.* Elle traduit les consultations télédiffusées en différé le soir. Parfois, elle n'a pas besoin de traduire, parce que les interventions sont déjà dans sa langue à lui : par exemple, celles des chefs de nations anciennes, drapés dignement dans leur propre extinction tragique, qui viennent s'opposer à la survie du petit pays. Il ne reste alors que Filippo à traduire, les questions imperturbables de Filippo : « *What do you mean when you say that we are not a nation?* » Mais traduire mentalement Filippo est une expérience difficile, qui la laisse terriblement honteuse. C'est à ce moment-là qu'elle sent qu'elle le trahit vraiment, qu'elle le trahit beaucoup plus qu'avec Nick Rosenfeld.

Finalement, Éliane n'a pas besoin d'écrire à Nick Rosenfeld, parce que la réponse à sa question informulable surgit tout à coup de partout. Elle n'a qu'à prononcer son nom, sur un ton vaguement détaché : une ébahissante quantité de gens autour d'elle connaissent Nick Rosenfeld, ou plutôt connaissent une quantité de femmes ayant partagé les fièvres horizontales de Nick Rosenfeld. Il semble que toute femme bougeant à portée du regard froid de Nick Rosenfeld se soit retrouvée incendiée dans son lit, dans un emportement fugace ayant peu à voir avec elle.

On comprend tout des gens, des nations, quand on comprend la nature de leur quête. La quête de Nick Rosenfeld est onirique et abstraite. Elle va bien au-delà d'Éliane, bien au-delà des femmes réelles. Les femmes réelles servent de tremplins vers le rêve. La quête de Nick Rosenfeld exige qu'il s'étende aussitôt en elles les yeux fermés pour mieux s'évader d'elles. Éliane comprend, maintenant. Le plus difficile est de comprendre que la petite musique bouleversante de Nick Rosenfeld ne lui était pas personnellement destinée. *(Oh Éliane. Oh Carole. Oh Teresa. My love. Oh you.)*

La quête du petit pays, elle, a une destination réelle, bien que longtemps repoussée. Voici qu'après tous ces préliminaires, l'heure de l'affronter est arrivée. L'Ultime Consultation survient, parmi les citoyens du petit pays abasourdis par l'insomnie. Où iront-ils enfin dormir ?

Filippo et Éliane sont dans le téléviseur lorsque le verdict tombe. Ils participent à une émission spéciale sur l'Ultime Consultation. Comme les autres invités, ils font des commentaires mesurés et choisissent les mots les moins contondants pour réagir posément à la situation. Ce n'est que beaucoup plus tard, sur le sofa du salon, que l'émotion les engloutit dans les bras l'un de l'autre.

C'est un chagrin aigu, une si violente déception qu'elle pourrait déboucher sur de la haine. Oui, la haine serait facile et peut-être consolante. Éliane et Filippo sont tentés par la haine envers leurs concitoyens, envers ces parties d'eux-mêmes devenues froussardes par peur d'être fanatiques. Moutons courageux. Puis, la haine s'estompe, car elle n'apaise rien. La moitié des gens du petit pays a peur de vivre dans un lit inconnu. L'autre moitié a peur de mourir dans le vieux lit connu. Comment savoir laquelle de ces deux peurs est la plus digne ?

Doit-on voir une relation métaphorique entre la déception amoureuse d'Éliane et la déception idéologique du petit pays ? Pour ma part, je m'en méfierais comme de tout ce qui est trop facile. Certes, Nick Rosenfeld appartient au grand pays dont Éliane craint l'étreinte suffocante. Mais la vie est remplie de hasards circonstanciels, et une femme n'est pas un pays, aussi petit soit-il.

C'est malgré tout de Nick Rosenfeld que vient la fin de l'histoire. Il téléphone à Éliane, le lendemain de l'Ultime Consultation. (*Hello, Eliane. It's Nick Rosenfeld.*) Et pendant qu'elle ne parle pas, raidie par la méfiance, il dit ces quelques mots, les plus tendres qu'elle ait entendus dans sa langue, il ne répète que ces quelques mots d'apaisement véritable. *(I'm sorry. I'm sorry.)*

FRANÇAIS, FRANÇAISES

à Patrick Cady

Nicolas Tocqueville arrivait de Paris, l'œil frais et allumé malgré le décalage horaire, les cheveux gris en débandade savante sur la nuque, le complet-veston chiffonné juste ce qu'il faut pour auréoler d'un peu de délinquance son allure par ailleurs élégamment branchée. Il avait la cinquantaine vigoureuse de ceux que n'appesantissent pas les regrets inutiles, et les quelques femmes à qui il décocha un sourire en traversant le restaurant s'empressèrent de le lui rendre. Sylvain Duchesne, une houle d'émotion dans les genoux, parvint néanmoins à se lever de table pour l'accueillir. Ils s'écrasèrent chaleureusement les mains et échangèrent leurs identités comme des mots de passe cabalistiques.

Cette rencontre tenait du prodige. Trois mois auparavant, Sylvain avait reçu une lettre de Paris, de la prestigieuse maison d'édition Galligrasseuil de qui il n'avait sollicité aucune faveur, une lettre pour rien, aussi gratuite qu'un miracle. Trois époustouflantes pages durant, le directeur littéraire Nicolas Tocqueville complimentait et commentait les livres de Sylvain, pourtant uniquement distribués au Québec, et poussait son admirable empathie jusqu'à lui proposer un rendez-vous, la prochaine fois que l'exercice de ses fonctions le mènerait à Montréal.

Sylvain s'en trouvait fortement commotionné depuis. Il faut comprendre. Sylvain avait l'outrecuidance d'écrire et de publier des essais, dans ce pays paranoïaque et boutonneux où l'on croit encore que les sagas télévisuelles constituent la quintessence de la littérature, dans ce pays comique qui se montre plus terrifié par ses rares élites intellectuelles que par ses nombreux gangsters crapuleux. Des essais, hélas. Pourquoi pas des élégies en grec ancien ou en latin vernaculaire, pauvre mésadapté social? Il avait certes obtenu des critiques élogieuses et un prix littéraire, mais jamais n'était-il parvenu à obtenir plus de cinq cents lecteurs, et il en souffrait terriblement tout en affectant de s'en balancer, et sa souffrance s'était peu à peu transmutée en quelque chose de plus âcre et de plus purulent, comme le font toutes les plaies clandestines.

Mais voilà que Nicolas Tocqueville, ce baume vivant, était assis en face de lui et commandait de sa voix cautérisante des huîtres, du saumon mariné, une entrecôte béarnaise très saignante et du vin. Sylvain en eut presque les larmes aux yeux. Enfin un vrai Français, quelqu'un d'encore joyeusement épicurien malgré la santé devenue obligatoire, quelqu'un de suicidaire avec panache, si vivre signifie brouter des végétaux vitaminés arrosés d'eau minérale. Nicolas Tocqueville s'alluma aussi une gitane et en expulsa lentement la fumée en direction du pictogramme antifumeur épinglé sur le mur.

— Je suis tellement heureux d'être ici avec vous, Sylvain, soupira-t-il. Quel pays incroyable, il neige déjà un 15 novembre. Parlez-moi de vous. La souveraineté est devenue incontournable, n'est-ce pas?

Sylvain tiqua discrètement, bien entendu il faudrait disséquer le Québec dans tous ses intérieurs et soupeser les retombées et les sursauts du dernier lancinant référendum, et argumenter interminablement sur l'avenir d'un peuple composé d'éléments si disparates que l'on n'en finissait plus de se demander comment le définir. Le plus tard serait le mieux, et Sylvain tenta même d'annuler l'échéance.

— Saviez-vous, demanda-t-il avec l'apparence de la badinerie, que dans ce pays incroyable, comme vous dites, le mot « intellectuel » constitue une insulte?

Nicolas Tocqueville se tint un moment la bouche entrouverte à proximité d'une huître déjà harponnée et prête pour l'enfournement, puis il l'avala avec un sourire.

— Vous avez failli m'étonner, dit-il.

Il prit alors la parole et ne la lâcha pas de tout le repas, tant qu'il n'eut pas exprimé du sujet et des plats leurs sucs substantiels, car une rare dextérité lui permettait d'agiter alternativement la luette et la langue sans que rien n'en souffre, ni déglutition ni discours. Sylvain, lui, toucha à peine à ses aliments, incapable de s'abandonner à l'appétit et au foudroiement en même temps.

Oui, il était foudroyé. Rien ne foudroie davantage que d'entendre parler de soi, que de s'apercevoir en modèle grandi dans le regard d'un autre, rien n'est plus ardu que de trouver la contenance appropriée aux hommages, entre une humilité de faux jeton et un orgueil bouffissant.

Non seulement Nicolas Tocqueville avait défriché son œuvre jusqu'à ses racines les plus souterraines, mis la main sur les derniers exemplaires introuvables des pamphlets *À quatre pattes* et *Assis,* parcouru d'une couverture à l'autre le difficile *À genoux* et le sardonique *Couché,* mais il avait débusqué chez Sylvain des lumières qu'aucun critique québécois n'avait eu l'énergie ou le talent de débusquer auparavant, échafaudé de complexes interprétations que Sylvain n'aurait jamais imaginées possibles, perçu même chez lui un métissage culturel surprenant avec les Amérindiens, et il livrait tout cela, en vrac, au principal intéressé, devenu aphone et rougissant comme un concierge de théâtre balayé soudain par les feux des projecteurs. Il concluait sur le Québec, le non-intellectualisme apparent du Québec, « une preuve féroce de santé et de démocratie, comprenez-vous, Sylvain? », martelait-il à Sylvain qui ne demandait qu'à comprendre, « la preuve que vous n'avez pas rompu avec votre base comme nous l'avons désastreusement fait en France », terminait-il en enveloppant d'une épaisse fumée de gitane le serveur stoïque qui vint débarrasser leur table.

Le silence s'installa un instant entre eux comme un prolongement vibrant de ce qui avait été dit, une pause digestive pour laisser se décanter ce début d'amitié formidable. Sylvain se surprit à attendre calmement la suite, à en apprivoiser à l'avance les bienheureux contours. Le directeur estimé de la maison d'édition Galligrasseuil allait maintenant aborder des rivages concrets, et Sylvain était prêt. (Oui, puisque vous m'en parlez, je suis effectivement à peaufiner l'ultime version de mon prochain essai *Debout,* une analyse sociopsychanalytique de cinq cents pages sur le suicidaire enlisement de l'éducation au Québec, et oui, j'envisagerais éventuellement de l'éditer chez vous après bien sûr entente sur le tirage et certaines conditions de publication auxquelles, que voulez-vous, un sens exigeant de l'éthique chez moi me condamne à tenir mordicus — où faut-il signer?…)

Mais Nicolas Tocqueville poursuivit son panégyrique en y incluant cette fois de nombreux autres écrivains québécois, dont certains au génie franchement discutable selon les critères acérés de Sylvain — et Sylvain, ravalant sa superbe, fut saisi d'un soupçon.

— Vous n'allez quand même pas me dire, cher monsieur Tocqueville, que vous avez trouvé le temps de lire tous les écrivains de Montréal, tenta-t-il de plaisanter.

Ni de leur écrire personnellement, n'osa-t-il pas ajouter, étreint par une petite douleur.

— Appelez-moi donc Tocque, dit Nicolas Tocqueville. C'est ce que mes amis font.

Il adressa à Sylvain un sourire si vaste qu'une couple de prémolaires cariées revendiquèrent tout à coup dans sa bouche un peu de visibilité.

— Je vous ai tous lus, dit-il. Demain, je rencontre le poète Denis Fafouin et la romancière Paméla Ducharme — ce sont des amis à vous ? Quelles belles insolences, quelle fraîcheur.

Sylvain fut déçu durant quelques intenses minutes. Se retrouver ainsi en foule dans le cœur admiratif de Nicolas Tocqueville dit Tocque en amoindrissait singulièrement le charme. Tant pis. Dans cet insupportable pays, il n'était pas possible d'échapper à son destin collectif, les écrivains étaient condamnés à ne jamais se sauver seuls, les épaules entravées par le joug de la solidarité et les jambes trébuchant sur les fleurs de lys.

Entre-temps, les clients autour d'eux s'étaient faits bruyants et frénétiques, chimiquement surexcités sans nul doute par l'imminente tempête de neige sur Montréal. Nous sommes des chiens, songea mélancoliquement Sylvain, instinctifs comme des chiens. Nicolas Tocqueville avait déplacé sa chaise de façon à englober du regard la totalité du restaurant. Une tache de vin ronde sur sa belle chemise de soie, il contemplait le spectacle de ces instincts surexcités avec une telle tendresse que Sylvain fut honteux de sa déception. Enfin, quelqu'un de là-bas daignait s'intéresser en profondeur à la distinctive culture d'ici. Comment oser ne pas en être heureux ? Enfin, Paris la si brillante, la si condescendante, s'approchait suffisamment de Montréal pour y découvrir une étrangère sexy au lieu d'une cousine pauvre, et l'embrassait sur la bouche.

La deuxième rencontre entre Sylvain Duchesne et Nicolas Tocqueville eut lieu deux mois plus tard, au milieu d'une neige muée sur les entrefaites en catastrophe permanente. Pour l'occasion, Sylvain avait rassemblé chez lui des amis à l'écriture fine et à l'alcool spirituel et sa femme Chrystine avait choisi de cuisiner un bœuf Wellington. Très saignant, selon les recommandations de Sylvain.

Outre Denis Fafouin et Paméla Ducharme, il y avait là le très jeune romancier Luc Sylvestre, le moins jeune romancier Dominique Larue, un poète-musicien du nom de John Sedgwick, la dramaturge incendiaire Betsi Larousse, et toutes ces intelligences à la réputation foncièrement confinée au pays avaient eu droit aux lettres personnelles de Nicolas Tocqueville et au nectar de ses éloges. Sans doute aussi avaient-ils digéré en secret la déception de n'être pas unique. Maintenant ils discutaient le coup au milieu des olives et du whisky, mettant à profit le retard de celui qui leur avait lyriquement exprimé son amour.

Deux camps avaient commencé de se dessiner qui plaisamment s'affrontaient : il y avait les flattés, qui trouvaient merveilleux d'avoir été trouvés merveilleux, et il y avait ceux qui s'en voulaient de s'être sentis flattés et qui revendiquaient davantage. Sylvain était du premier groupe. Denis Fafouin arborait férocement les couleurs du second.

— Je ne te comprends pas, disait Sylvain. M'enfin, rien n'obligeait ce type à s'amener ici et à nous dire que nous sommes bons.

— Si nous sommes si bons que ça, ricanait Denis Fafouin, pourquoi Galligrasseuil n'a-t-il jamais publié un de nos tabarnaks de livres ?

— Personnellement, je ne leur ai jamais envoyé de manuscrit, mentit Betsi Larousse.

— Moi, si, dit Paméla Ducharme de sa voix de velours. Deux fois, j'ai eu des livres coédités chez notre frère Tocque.

— Et alors? demanda tout le monde.

— Alors, rien, poursuivit-elle en souriant. Les deux fois, je suis restée une demi-heure dans les librairies parisiennes avant de réintégrer les caisses de l'arrière-boutique.

— AH! lâcha triomphalement Denis Fafouin.

— AH quoi? s'énerva Sylvain. Qu'est-ce que ça prouve?

— Ça prouve que l'Hexagone est fermée comme un couteau et s'intéresse à nous autant qu'à de la crotte de chien.

— Mais qu'est-ce qu'on en a à foutre, de l'Hexagone? grommela Luc Sylvestre au-dessus de son troisième whisky, et les autres le considérèrent avec le sourire sardonique que l'on destine aux très jeunes gens pas encore au fait des enjeux de cette existence.

Car, s'il régnait un consensus parmi la communauté intellectuelle francophone de ce côté-ci de l'Atlantique, c'était bien celui-ci: oui, on en avait énormément à foutre de l'appui de l'Hexagone, ne serait-ce que pour se tenir un peu en équilibre dans cette période troublée où les poussées amicales des voisins vers le précipice du néant ne manquaient pas.

— De toute façon, conclut Dominique Larue qui parlait rarement mais juste, il est directeur littéraire, il est à Paris, il nous estime, attendons qu'il crache le morceau.

Nicolas Tocqueville atterrit à la porte de chez Sylvain deux heures plus tard. Il arrivait d'Europe le jour même, toujours intouché par le décalage horaire, le teint ravivé par l'air froid, les cheveux blanchis par la neige, enthousiaste comme un collégien échappé du collège. Il se glissa dans le groupe et les esprits réchauffés avec la grâce d'un caméléon, et bientôt ses rires avaient exactement le même timbre aviné que celui des autres. Le seul raté minuscule qu'il commit fut lorsqu'il insista, en indécrottable romantique parisien, sur les similitudes de psyché entre Québécois et Amérindiens, y allant même d'une théorie psychanalytique détaillée sur le « complexe de Brébeuf », qui aurait incité les premiers martyrs canadiens à rechercher la torture pour mieux s'identifier aux guerriers iroquois.

— Oui, désamorça promptement Sylvain. Continuons le débat devant le « brébœuf » Wellington.

On mangea et on but énormément, John Sedgwick fit miauler son saxophone, Denis Fafouin improvisa des haïkus hilarants sur la mort et le sexe, et surtout, on s'adonna au grand Jeu favori des intellectuels de ce pays, le jeu de l'auto-démolition.

C'était un jeu étrange, qui laissait les joueurs plus désespérés que divertis, et qui consistait à flageller infatigablement les tares de sa propre société jusqu'à ce qu'elle s'écroule, vidée de son sang. Il n'y avait pas de gagnants dans ce jeu cruel, sauf la pureté utopique, abstraite, la pureté des idéaux menés jusqu'au suicide. C'est peut-être ce qui en rendait l'exercice fascinant.

Sylvain y excellait, et c'est lui qui débuta par des sarcasmes féroces sur le ministre de l'Éducation, plus goret que ministre, suivis d'une mise à mort implacable du système d'éducation en entier, un fiasco qui plongeait irrémédiablement le pays dans l'obscurantisme (c'était d'ailleurs le thème de son livre futur, *Debout*, qu'il rêvait de faire inscrire au programme obligatoire des universités). Les autres sautèrent gaiement dans l'arène et mitraillèrent tout ce qui, en forme de fleur de lys, bougeait à leur portée — société de porteurs d'eau, peuple voué au culte de la complaisance et des joueurs de hockey, nation mesquine dérivant dans la xénophobie triomphante, horrible petit Québec.

Tout ce temps, Nicolas Tocqueville les écoutait avec un sourire incrédule, puis soudain il interrompit énergiquement le Jeu.

— Permettez, dit-il. Permettez à un observateur étranger de vous exprimer son désaccord.

Jamais, leur assura-t-il, jamais n'avait-il rencontré d'autocritiques aussi méprisantes et de chiens de garde aussi agressifs que dans ce petit pays, ce jeune petit pays pourtant infiniment plus tolérant et courageux que tous ceux où sa vie trépidante l'avait mené. Que cherchez-vous à prouver en vous haïssant de la sorte, leur demanda-t-il en les regardant dans les yeux, que cherchez-vous donc, Sylvain, Denis, Paméla, Luc, Betsi, Dominique, Chrystine, John ?…

Il y eut un silence. Sylvain s'accroupit sur le sol, Paméla se mit à pleurer silencieusement, et aucun d'eux ne sut quoi répondre, car en réalité ce petit pays qu'ils pourfendaient de leur hargne était ce qu'ils aimaient le plus au monde, ce petit pays se dérobant sans cesse sous leurs pas leur causait sans cesse tant de chagrin qu'il fallait bien, pour se défendre, feindre de le mépriser.

La troisième rencontre entre Sylvain Duchesne et Nicolas Tocqueville eut lieu à l'aéroport de Mirabel.

Tranquillement, quelque chose de décisif avait cheminé en Sylvain, inondant d'un faisceau de lumière crue les circonvolutions de son cerveau.

Il s'installait à Paris.

Il s'installait à Paris pour mieux servir Montréal, il serait le relais essentiel assurant là-bas l'implantation de la littérature d'ici, et Nicolas Tocqueville, qui ne le savait pas encore, lui ménagerait à cet effet une porte — une trappe ferait l'affaire — dans le lisse édifice des éditions Galligrasseuil.

Notre frère Tocque à dire vrai tardait à « cracher le morceau », pour reprendre les mots cavaliers de Dominique Larue, mais il entretenait avec Sylvain une correspondance assidue dans laquelle son adulation pour le Québec ne faiblissait pas, ce Québec si mouvementé par rapport à la sclérose parisienne, ne cessait-il d'affirmer.

Il était temps de l'inciter à passer aux actes.

Sylvain, pour sa part, était fin prêt à troquer quelque temps les hoquets convulsifs du Québec contre la merveilleuse sclérose parisienne. Quelque temps, n'importe quand.

En fait, depuis qu'il avait mis le point final à son manuscrit *Debout*, il ne tenait plus en place, il ne dormait que parcimonieusement, il enseignait distraitement, il n'était plus ici, il n'arrivait qu'à se voir là-bas, rue de Rennes dans le 6e, engoncé extatiquement dans un cagibi de Galligrasseuil, le Mont Blanc annotant avec frénésie des manuscrits québécois — pardon, francophones d'Amérique — avant de les acheminer dans le grand bureau attenant, le cher bureau du cher Tocque qui n'attendait que son feu vert pour les publier.

De loin, lui semblait-il, lui aussi retrouverait un œil frais pour admirer le panorama sauvage de sa patrie, sa si timide patrie qui pour l'heure lui tombait de plus en plus sur les rognons, il faut l'admettre.

Sylvain ne parla de son projet à personne, ni à ses amis écrivains, ni à Nicolas Tocqueville, ni même à sa femme Chrystine. N'est-on pas seul quand on meurt et quand on naît, quand on meurt à sa vieille vie pour se réincarner dans une toute neuve ?

Un matin, il fourra dans une valise son manuscrit *Debout* encerclé de quelques vêtements accessoires, et il décida de se rendre à Paris préparer le terrain. À l'improviste, il assiégerait

Galligrasseuil, enfoncerait toutes les portes entrouvertes, squatterait le bureau de Tocque jusqu'à ce qu'il applaudisse à son initiative.

Il arriva très en avance à l'aéroport de Mirabel, comme il ne pouvait s'empêcher de le faire avant les périples qui comptent. Suffisamment en avance pour voir atterrir au milieu de l'aéroport, ébouriffés, excités par la lumière arctique et l'immensité américaine, les passagers en provenance de Paris. Parmi eux, traînant dans son sillage élégant un monticule de valises, Nicolas Tocqueville.

Ils s'aperçurent au même moment et hissèrent leurs bras dans les airs avec un synchronisme parfait, Sylvain débordant d'étonnement et Nicolas Tocqueville, de jubilation.

— Je m'installe! vociféra Tocque de loin. Je m'installe, Sylvain!

— Comment? Quoi? vociféra à son tour Sylvain, tentant de s'extirper de la file d'avant les douanes.

— Je viens de tout larguer!... Fuck Paris, fuck Galligrasseuil! Je m'installe ici, *tabernacle*!...

Et il ne put en dire plus long, happé qu'il se trouva à ce moment par les douaniers qui lui ouvraient le passage vers le Nouveau Monde.

ROUGE ET BLANC

Je ne me suiciderai plus. Je te le dis à toi, Aataentsic, mère de l'humanité qui as fait la terre et qui prends soin des âmes, je vivrai dorénavant aussi longtemps que la vie acceptera de rester en moi, j'apprendrai à caresser ma haine et ma rage jusqu'à ce qu'elles s'assoupissent comme des souris inoffensives.

Déjà, moi qui ne parlais pas, j'ai trouvé les mots pour convaincre le médecin de me laisser sortir. Il suffisait de peu de mots, mais il fallait les choisir rapidement parmi ceux qu'ils savent entendre ici. J'ai dit que je retournais à Kanahwake où m'attendent les miens, j'ai dit qu'il existait chez moi des cercles guérisseurs bien plus puissants que tous les antidépresseurs de sa médecine. Et après, je me suis excusée de mon indélicatesse, en le regardant dans les yeux comme ils le font ici avec tant d'impudeur. Quand ce médecin aux cheveux blanchis par autre chose que la sagesse m'a demandé finalement pourquoi j'avais voulu mourir, j'ai dit sans rire que j'avais eu un chagrin d'amour. C'était la réponse et l'image qu'il espérait obtenir, l'image d'une jeune femme universelle malmenée par l'amour plutôt que celle d'une sauvagesse sans âge ravagée par la haine.

Il a été si facilement vaincu que j'en ai éprouvé plus de gêne que de fierté, moi qui croyais exaltantes les victoires pour n'en avoir connu aucune.

En sortant de l'hôpital, j'ai regardé le soleil qui brillait cal-

mement, chaud et vivant malgré tout ce qu'il a vu. J'ai su pour la première fois que j'avais vingt-cinq ans et que la haine ne fait pas survivre.

Je ne retourne pas à Kanahwake. Je reste ici à Montréal, dans cette vieille Hochelaga où vivaient mes ancêtres blottis aux flancs de la montagne. Je choisis d'infiltrer ceux qui n'en finissent plus de nous conquérir.

Je veux nous voir comme ils nous voient. Je veux mettre leurs yeux froids dans mes yeux pour regarder ce que nous sommes devenus, sans ciller et sans m'effondrer.

Nous sommes devenus des clochards, ô Aataentsic notre mère. Nous sommes sans abri dans nos réserves humiliantes, et l'esprit qui faisait notre force s'écoule goutte à goutte hors de nous, épuisé. Nous sommes pauvres parmi les pauvres, attachés comme du bétail mal aimé à des morceaux de roches où il fait si soif que nous ne pouvons que boire. Nous mendions en rougissant des casinos, des droits de contrebande, de l'argent, des matières desséchantes qui tarissent l'âme. Nos guerriers sont devenus si faibles qu'ils battent leurs femmes au lieu de mater leurs peurs. Nous écoutons la télévision pour voir souffrir nos frères éloignés à Davis Inlet, à Goose Bay, à Calgary, nous écoutons la télévision pour rêver maintenant d'être des cow-boys plutôt que des Indiens. Nous donnons partout le spectacle de l'humiliation dont on finit par mourir, mais si lentement que personne ne voit plus qu'il s'agit de mort.

Je veux voir avec leurs yeux comment ils arrivent à nous condamner au lieu de nous plaindre.

Il est vrai qu'ils sont les vainqueurs et que nous sommes ennemis. Nos voies parallèles ont été forcées de se rencontrer, et ni eux ni nous n'en serons jamais heureux. Nous sommes ennemis, comme l'eau versée sur le feu qui brûle : c'est une pensée qui ne me quittera jamais, même quand je m'assoirai à leurs côtés dans leurs autobus et leur métro, quand j'achèterai leur viande et que je sourirai aux moins endurcis parmi eux.

Je veux goûter le salé de leurs larmes, lorsqu'ils pleurent l'injustice qui leur échoit depuis cent ans et oublient la nôtre qui dure depuis des siècles. Je veux écouter leurs tribunes téléphoniques à la radio et lire leurs journaux. Je veux absorber tous leurs discours pour mesurer leur animosité et leurs faiblesses. Je veux apprendre à parler vite et fort comme eux, en écrasant d'avance les arguments de l'autre. Je veux les contempler, prisonniers du mirage de leurs corps et de leurs biens périssables, en train de planer au-dessus du vide qui remplace leur âme.

Je veux comprendre pourquoi ils nous ont vaincus.

Quand je retournerai parmi les miens, j'aurai leur force en plus de la mienne, et je saurai peut-être cette fois-là regarder les enfants de Davis Inlet inhaler de la colle sans me suicider.

Le temps est venu de revêtir un cœur de guerrier, endurci par la pureté et la vigilance, armé de forces naturelles au lieu de choses qui tuent. Nous ne survivrons pas dans leurs sillons qui défigurent la terre, où chaque graine semée devient violence et égoïsme, nous ne survivrons pas sans retrouver notre voie. Ils font partie du plus grand combat de notre existence. Le plus grand combat de notre existence se tient à leurs côtés, dressé comme un mur de granit contre lequel nos mains saignent et se désespèrent. Jamais le danger n'a été aussi considérable, jamais dans notre longue survie disputée au carcajou, à la famine, au froid intense, à des ennemis aux armes plus directes et sanguinaires. Le temps est venu d'affronter le temps lui-même, de nous adapter à la vie qui a changé de visage. Il n'y a pas d'autre endroit où fuir. Cette terre bruyante peuplée de créatures bavardes et ces forêts sans arbres sont tout ce qui nous reste : il faut apprendre à y enfouir de nouvelles racines ou accepter de disparaître.

C'est pourquoi je te prie ce soir, Aataentsic notre mère sans visage en qui j'ai cessé longtemps de croire. Ce soir, ma prière te fait exister, et les larmes qui coulent de mes yeux ne sont pas larmes de faiblesse mais de recommencement. J'ai suspendu au-dessus de mon lit l'attrape-rêve mohawk légué par mon père, fait de crânes d'ours et de plumes d'aigles plus puissants que les somnifères. Toutes les magies ne seront pas superflues pour traverser sans cauchemar les nuits qui viennent. Mais il y a tant de jours entre les nuits, tant de jours à me tenir debout dans leur Montréal, à apprivoiser la colère et à contourner les obstacles.

Aide-moi, ô Aataentsic, à demeurer un être humain.

ÇA

C'est couché sur le trottoir. On dirait une sculpture. Off-off-ex-post-moderne. On s'approche. Ça pue quand on s'approche, ça pue et ça remue, diable! ça a des yeux. Ça tient un grand sac vert qui déborde de choses. On veut voir ce qu'il y a dans le sac. Ça jappe un peu quand on arrache le sac, heureusement ça ne mord pas. On ouvre le sac.

Déboulent silencieusement jusqu'à la rue une bouteille de caribou vide, de l'argent Canadian Tire, un chandail de hockey troué, une carte périmée de la STCUM, un morceau de Stade olympique, un lambeau de société distincte, et une vieille photo, une photo de ça quand c'était humain et petit et que ça rêvait de devenir astronaute.

FUCKING BOURGEOIS

I could hear the human noise
we made there sitting,
not one of us moving,
not even when the room went dark.

RAYMOND CARVER, *What We Talk*
about When We Talk about Love

Le thon sent l'amande fraîche. Je ne résiste pas à l'envie d'en découper une lanière épaisse et de la manger comme ça, crue, sans rien, dans la nudité des choses parfaites. C'est si bon que ça ferme les yeux, ça inspire le recueillement. J'entends la rumeur dépressive du bulletin de nouvelles, plus loin, je sais que Thomas, lui, se tient les yeux grands ouverts devant la télé pour ne rien rater de la dégringolade en direct de l'univers. Après, pour chasser la morosité qui se sera inévitablement emparée de lui, il faudra lui raconter des histoires pétillantes, le faire boire, l'embrasser derrière l'oreille, dans cette zone parfumée et chatouilleuse où il est encore un petit garçon. Je coupe le thon en filets, je l'étends parmi la limette, l'huile, le poivre rose et l'estragon. Je plonge les os à moelle dans l'eau salée bouillante. Je taille en arrondi les courgettes et les carottes. Tous ces gestes précis donnent immédiatement des résultats, des odeurs, jamais la nourriture ne déçoit ceux qui la traitent avec affection.

Thomas revient dans la cuisine, appesanti par ce qui pèse sur l'humanité. Il me livre tout en vrac. Des gens s'entre-tuent partout pour des histoires de dieux et de clôtures, des enfants fument du crack au lieu de jouer au ballon prisonnier, des hommes abattent des femmes qui ont rompu leur laisse. Et au cœur de notre chez-nous si civilisé, derrière la Place des Arts, il y a un être humain qui couche dehors à vingt-cinq degrés sous zéro.

— Tu te rends compte, dit Thomas. La nuit dernière, avec le vent, c'est descendu à moins trente. Une femme dans la cinquantaine avancée, le cul dans la neige sous des journaux et des sacs en plastique, attendant que le soleil se lève, et quel soleil, c'est intolérable, intolérable.

Je vois la femme tandis qu'il parle et que la moelle s'échappe des os en gloussant avec lubricité — un visage couperosé et ahuri, un regard en pagaille. S'endormir dans la neige détritus anonyme et se réveiller face aux caméras du téléjournal, le choc, le choc et la situation dramatique fabuleuse. Il faut couper la moelle en lamelles fondantes avant qu'elle ne se fige. Il faut donner à boire à Thomas. Il faut garder en mémoire cette femme et son réveil kafkaïen pour plus tard, pour demain, quand ce sera l'heure d'inventer des fictions plus réelles que la réalité. («Ce n'est pas le froid et la faim d'alcool qui la tirèrent du sommeil ce matin-là, mais un grand gars qui criait «Coupez!» derrière un soleil aveuglant — encore un cauchemar, se dit-elle, un cauchemar de jour, les pires de tous.»

Je dispose les hors-d'œuvre dans la porcelaine blanche pour mettre en valeur leurs blondeurs contrastées : pistaches grillées, olives aux anchois, chanterelles et pholiotes marinées pour Jean-Eudes qui aime les champignons, toasts à la mousse de ris de veau pour Lili qui aime tout. Oh la soirée chaude et bonne toute devant nous, la jouissance de donner et de prendre, le miracle de l'amitié.

— Tout ça, dit Thomas. Tout ce chichi, juste pour Lili.

Il s'en va dresser la table, et les assiettes malmenées tintent jusqu'ici. Quand il revient dans la cuisine, je le retiens par les revers de sa chemise de soie, celle qui le fait ressembler à un peintre vénitien, et il s'apaise, il se laisse embrasser.

Le téléphone sonne, pourvu que ce ne soit pas eux à qui des choses regrettables seraient arrivées. Thomas répond, il dit : « Un instant », il dit : « C'est pour toi ».

À l'autre bout du fil, la voix de femme est lointaine, de cette sorte outre-Atlantique qui bouscule les samedis soir et l'intimité. Ce n'est qu'une invitation à participer à un colloque, rien de plus facile à décliner, à expédier sommairement.

Puisque le temps ne manque pas, couper d'avance la mangue en morceaux, lécher le jus musqué qui coule sur les doigts. Sortir les filets de bœuf du frigo, dévorer un lambeau de chair qui dépasse. Réarranger les mimosas sur la table.

— Un colloque où ? demande Thomas.

— À Casablanca.

— Casablanca, répète-t-il.

Son regard reste là où il l'avait posé, à proximité de la table où je ne me tiens plus. Même lorsque Lili et Jean-Eudes sonnent à la porte et sonnent encore, il ne bouge pas. Jusqu'à ce que je crie : « Thomas ?... », alors son regard se réveille et va vers la porte, il se précipite pour ouvrir, il lance quelques plaisanteries inaudibles et j'entends le rire de Lili dévaler vers moi comme d'une montagne russe.

Ils ont apporté des fleurs, du vin, des chocolats belges. «Uniquement pour toi, les chocolats, dit Lili, je t'interdis d'en offrir à Thomas, ce goinfre.» Jean-Eudes me renifle dans le cou: «C'est le même parfum que tu portais au collège», dit-il, et Lili lève les yeux au ciel, comme souvent lorsqu'il ouvre la bouche. Thomas met du blues et prépare des margaritas, Lili et moi nous alanguissons à demi par terre, gagnées par l'illusion de l'été.

— J'ai envie de tuer, dit Lili. Passe-moi ces machins au ris de veau que je les assassine. Je vais encore prendre cinq livres ce soir, maudite Claire à marde.

Elle revient d'une entrevue avec la chanteuse Rhapsode, qui a vendu cent mille exemplaires de son tube *Chatouille-moi* et qui s'apprête à l'enregister en japonais, «Je lui ai suggéré un autre titre, plus asiatique, ricane Lili, *Gratt-moâ le dô*, *Gratte-moi le nô*, rectifie Thomas, et nous voilà rigolant déjà comme des ineptes, les vapeurs de la téquila insinuées dans le cerveau.

— Je ne suis plus capable, dit Lili, le showbiz et les *success stories* me sortent par les oreilles, qu'est-ce qu'il y a dans ces olives? on vendrait sa mère pour en manger. Rien de plus déprimant que d'interviewer un chanteur qui monte, rien de plus monotone, à quoi ils rêvent, tous, dans le tréfonds de leur moi profond, quel est leur rêve le plus fou le plus poétique, vous pensez, à tous ces nombrils géants? c'est de passer un jour à l'émission de Johnny Carson. Être connu aux States, par la nation la plus uniformément quétaine de l'univers.

— Pas tous, dit Thomas. La preuve, regarde Rhapsode, c'est au Japon qu'elle rêve.

— C'est pareil, dit Lili, le Japon, les États, le nivellement par la base.

— Quand on fait quelque chose, amour, dit Jean-Eudes, c'est normal qu'on souhaite que ça soit vu par le plus grand nombre, tu ne penses pas?

— Non, dit Lili.

— Allons donc, dit Jean-Eudes. Toi, une journaliste, qui vit dans les tirages et les *prime time* à cœur de jour…

— Justement, dit Lili. Y en a marre. Arrête de vouloir me piéger, tu m'énerves.

— Je ne te piège pas, amour, on discute, dit Jean-Eudes.

Il lui touche les cheveux furtivement par-derrière. Elle boit en renversant la tête, elle ferme les yeux et chantonne : *Nobody knows you when you're down and out.*

— Eric Clapton, dit-elle. J'ai envie d'entendre Eric Clapton.

Les verres sont presque vides, maintenant. J'approche les champignons marinés de Jean-Eudes, les olives de Lili, je me lève et fourrage dans les disques compacts.

— Relaxe, Claire, dit Lili.

— Relaxe ton sexe, dit Thomas. C'est ce que les élèves me répondent quand je leur pose des questions. Ou encore, une variante : relaxe ton shaft. Il y a un élève qui sort toujours son couteau quand je commence mon cours. Un jack-knife. Il gosse son bureau en me regardant.

— Allons donc, dit Jean-Eudes. Les armes ne sont pas interdites dans les écoles?

— Oui, dit Thomas.

Lili le regarde en souriant.

— Sale boulot que tu fais là, dit-elle.

— Tu l'as dit, soupire Thomas.

— Quand je pense qu'à vingt ans, dit Lili, à vingt ans je voulais être une nouvelle Oriana Fallaci, écrire des reportages de fond qui bouleverseraient les esprits. Mais comment veux-tu travailler un peu dans la grandeur, ici, il n'y a pas d'enjeux, pas de cause. Des chicanes pour des panneaux publicitaires, des discours sur les budgets et les compressions, voilà ce qui nous transporte et nous occupe, nous sommes un peuple de comptables.

Je partage le reste de la margarita entre leurs trois verres, je cueille les plats vides.

— As-tu besoin d'aide ? demande Jean-Eudes.

Je lui dis de rester assis et de relaxer son sexe. Il rit, un rire hoquetant et juvénile qui me poursuit jusqu'à la cuisine et me ramène en arrière, dans ce temps du collège où nous faisions du théâtre ensemble et où il n'arrivait jamais à garder son sérieux.

Je prépare quatre lits de trévise, j'y allonge les filets de thon. Un brin d'aneth sur chacun, quelques grains de poivre rose. Je coupe le pain. Je sors du frigo le foie gras, les fromages, une bouteille de blanc — un Sancerre 1983 qui saura se frayer un chemin fruité malgré la marinade du poisson. J'allume le four à 375°. Je démoule le foie gras en prenant mon temps, plaisir de toucher cette merveille onctueuse qui sent la contrebande et le péché.

Dans le salon, il est question de travail, encore, sous la voix d'Eric Clapton qui nargue : *Before you accuse me, take a look at yer'self…* Lili roule un joint.

— Je ne suis pas d'accord, dit Jean-Eudes. Ça fait dix ans que je fais des plans pour la ville, et j'aime encore ça, j'aime ma job.

— Toi, dit Lili sans lever les yeux de son herbe, toi c'est autre chose. Tu as si peu de colère, ajoute-t-elle après une pause, en le regardant dans les yeux.

— C'est Claire qui l'a, la job, dit Thomas. Elle travaille ici tranquillement, sans personne pour la faire chier, elle se raconte des histoires que tout le monde achète.

— C'est vrai que Claire a de la chance, dit Lili en me souriant.

— Encore aujourd'hui, dit Thomas, et il me prend par la main pour m'obliger à m'asseoir près de lui, on l'invite à Casablanca et elle refuse, ma chérie, elle refuse et elle ne m'en parle même pas, comme s'il n'y avait rien de plus banal que d'être invité à Casablanca et de dire : non merci.

— Casablanca, dit Lili.

Je tente de me justifier, je m'embrouille, qu'ont-ils tous à frémir au nom de Casablanca ? j'ai du travail en retard, je n'ai pas plus le temps d'aller à Casablanca qu'à Ouarjetou.

— Elle est comme ça, ma chérie, dit Thomas en me serrant la main trop fort, elle est comme ça. Adulée et modeste.

— À Claire, dit Lili en levant son verre où subsiste un filet d'alcool.

— À Claire, disent Thomas et Jean-Eudes.

Je voudrais porter un toast à l'amour et à l'amitié, mais les mots hésitent à sortir, ridicules et empesés, alors je dis : « À vous ! » en levant mon verre vide, et je sais en ce moment combien je les aime, ils sont ceux que j'aime le plus au monde.

Au début, le carpaccio de thon se mange sans parler, le temps que se dépose la délicate fragrance de mer sur les papilles ébahies. Thomas verse le vin. Lili soupire longuement.

— Délice, gémit-elle.

— Comment vous êtes-vous connus ? demande Jean-Eudes. Je ne me rappelle pas.

— Vraiment, s'étonne Thomas. Tu ne te rappelles pas ?…

Il me coule un regard moqueur et il se tait, il attend que je sois celle qui raconte. Je dis :

— On s'est rencontrés il y a huit ans. À une mondanité littéraire, après, je l'ai invité chez moi.

Thomas rit longuement comme à une répartie désopilante. Lili allume son joint. Elle l'inhale et le laisse brûler entre ses doigts. Jean-Eudes tend la main pour qu'elle le lui passe, mais elle le garde, un demi-sourire de sphinx aux lèvres.

— Claire ma chérie, rit Thomas. Cette « mondanité littéraire », comme elle dit avec une économie si remarquable, c'était la fois où Claire a remporté le prix Réjean-Ducharme, haut la main sur des concurrents qui ne lui allaient pas à la cheville. Dont j'étais.

— Qu'est-ce que tu veux dire ? dit Jean-Eudes. Tu étais quoi ?

— J'étais un concurrent, un nominé, un finaliste, un pauvre scribouilleur que des jurys idiots avaient mis en lice pour cet ostie de prix, qu'est-ce qui se passe, Jean-Eudes, tu n'entends pas quand on te parle ?

— Ah, dit Jean-Eudes en prenant une bouffée d'herbe. Je ne savais pas que tu écris.

— Je n'écris pas, non plus, je suis un professeur, un professeur obtus qui n'arrive pas à relaxer son shaft. Une fois, quand j'étais plus jeune, j'ai écrit un livre, c'était une mauvaise idée, le livre était pourri, il faut laisser les livres à ceux qui savent les écrire, comme Claire.

Ça ne sert à rien de protester, mais je le fais quand même tandis que Thomas fume sans me regarder, les mêmes arguments toujours repris et toujours tombés à plat, mais non, Thomas, ton livre était bon, la preuve c'est que le jury l'a retenu...

— Une cochonnerie, dit Thomas, et tu le sais très bien, mais ça n'a pas d'importance, Claire était charmante, elle a fait un discours très humble et je me suis approché pour la féliciter et on a bu un coup ensemble, et après je suis allé chez elle et le plus étonnant c'est qu'au lit aussi elle avait du style, avouez que ce n'est pas évident.

Peut-être devrais-je ouvrir un rouge au lieu d'un autre blanc pour les inciter à patienter. Peut-être aurais-je dû combler davantage les assiettes d'où le thon s'est enfui plus vite qu'au bout d'une ligne, mais non, restent à venir les filets de bœuf, copieux, et les fromages crus de Buron, et la salade, et les clémentines givrées, et des truffes de chez Le Nôtre.

J'allume le feu des légumes vapeur. Les tournedos de filet grésillent dans le beurre et l'huile, vite les tourner afin qu'ils demeurent très saignants, un peu de sel, de poivre, et les voilà éconduits dans un plat de service, nappés chacun d'une tranche de foie gras bien écrasée pour qu'elle adhère à la viande, chapeautés de quelques médaillons de moelle, exhalant déjà des vapeurs irrésistibles. Je verse suffisamment de farine dans le liquide de la poêle pour faire un roux consistant, j'y jette du porto, du bouillon, un peu de moelle pour l'onctuosité.

— Ça sent bon, dit Jean-Eudes dans mon dos. Je peux t'aider ?

Il porte les assiettes de l'entrée telle une cargaison précieuse, menacée de ne jamais trouver de destination sûre. Je le déleste et il s'assoit, soulagé.

— Nous, ça va faire trois ans. C'est ici que tu nous as présentés l'un à l'autre, non ? non, c'était à L'Express. Trois ans. J'ai envie d'organiser une fête pour souligner ça, trois ans ça se célèbre il me semble, une grosse fête sans lui en parler, tu sais comment elle est, Lili, comment elle déteste les anniversaires. On dit que c'est un chiffre critique, trois ans, je ne sais pas pourquoi, moi je l'aime plus qu'avant, je l'aime de plus en plus c'est fou.

Il a les pupilles distendues par l'herbe et quelque chose de triste et de fuyant, au fond, qui cherche à émerger. Des mots me viennent qui ne sont pas pour lui, le début d'une histoire à écrire avec un protagoniste parfait et mal-aimé qui lui ressemblerait (« Il avait pensé à tout et tout était à sa place, le champagne dans les seaux, les invités sur les sofas, le gâteau macérant dans ses liqueurs, les serpentins ondoyant jusqu'au plafond, ceux qu'ils avaient connus, même ceux qu'ils ne voyaient plus, il avait pensé à tout sauf qu'elle ne viendrait pas »).

Je lui donne le Château Margaux à ouvrir, j'éteins le feu des légumes et celui de la sauce, je place les filets au four doux pour les réchauffer, bientôt il n'y aura plus de raison pour s'agiter, rien que s'asseoir et déguster et jouir des heures chaudes avant qu'elles ne fondent tout à fait.

Lili chantonne *Nobody knows you when you're down and out,* même si Chet Baker a remplacé Eric Clapton depuis longtemps.

— J'imagine que vous avez regardé les actualités à la télévision, dit-elle. Cette femme, cette Bag Lady de la Place des Arts.

— Je ne sais pas pourquoi ils la laissent là comme ça, dit Jean-Eudes. C'est une honte.

— Une infamie, dit Thomas.

— Qu'est-ce que vous voudriez qu'ils fassent ? dit Lili. Et d'ailleurs, qui, ça, « ils » ?…

— Elle se cachait le visage avec la main, dit Thomas, pour essayer d'échapper à la caméra, je lui aurais cassé la gueule, au caméraman.

— Je ne comprends pas, dit Jean-Eudes, pourquoi on ne la place pas dans un refuge, de force, il y a des refuges plein Montréal, elle serait quand même mieux là que dans la neige.

— Comment peux-tu dire ça? gronde Lili. As-tu jamais mis les pieds dans ce que tu appelles «un refuge»? Pourquoi elle ne pourrait pas choisir de vivre toute seule, bien oui, dans la neige, vu que c'est ça qu'on a le plus, ici, de la neige — et des comptables?… Pourquoi il faudrait, en plus, assumer sa déchéance en commun, dans une saleté de refuge, parmi des paumés encore plus paumés que vous?…

Je dis que je suis d'accord avec Lili, personne n'a le droit de décider ce qui est bon pour les autres, chaque adulte est maître de sa destinée, de sa maigrelette destinée. Lili roule un joint. Thomas ouvre une autre bouteille de vin.

— Ça veut dire, dit Jean-Eudes, que tu laisses les suicidaires se suicider, les junkies se piquer à mort, ça veut dire que tu n'interviens jamais dans la vie des autres même si tu les vois dans le trou, ça veut dire que tu n'aides plus personne, en voilà des beaux principes.

— Tu postillonnes dans mon verre, amour, dit Lili.

— Évidemment, dit Thomas, ce qui complique un peu les choses, c'est qu'on a affaire ici vraisemblablement à une ex-psychiatrisée, ou à une toxicomane…

— Et alors? dit Lili.

— Je veux dire, dit Thomas, que le libre choix n'est pas du libre choix quand celui qui choisit n'a pas toute sa tête, c'est ça que je veux dire.

— Et qui va décider qu'on a toute sa tête? dit Lili. Toi, Thomas, considères-tu que tu as toute ta tête?…

— Non, dit Thomas en s'esclaffant. Surtout en ce moment.

— Lili est passionnée par les clochards, dit Jean-Eudes. Elle prépare un grand reportage sur les clochards.

— Non, dit Lili en coulant un regard sombre vers Jean-Eudes. Je voulais, mais j'ai abandonné l'idée.

— Pourquoi? demande Thomas.

Un court silence, pendant lequel elle boit, et elle chantonne : *Nobody knows you, nobody…*

— Je voulais, dit Lili, devenir réellement clochard pendant quelque temps. J'ai eu peur.

— C'est normal, dit Jean-Eudes en lui caressant les cheveux. C'est un monde épouvantable.

Elle secoue la tête, elle émet un petit rire de gorge.

— Mais non. J'ai eu peur de rester clochard toute ma vie, de ne plus vouloir jamais réintégrer le monde.

Elle rit et elle finit son verre, et Jean-Eudes rit aussi, plus fort qu'elle. Thomas la regarde intensément, le verre immobile dans sa main. Je me lève en catastrophe, rappelée à l'ordre par l'odeur de la moelle grillée.

Le pain est coupé, le four éteint, les tournedos sont nappés de sauce, les carottes et les courgettes revenues dans le beurre. La plus grosse portion sera pour Lili, en manière de consolation existentielle.

— Comment tu fais, Claire? soupire Lili. C'est écœurant comme c'est bon.

— Elle n'a pas de mérite, dit Thomas. C'est une alchimiste. Tout ce qu'elle touche se transmute en or.

— Un toast à Claire, dit Jean-Eudes.

— À Claire, qui a le génie de la cuisine. Et des mots, dit Lili.

— À Claire qui a tout, répète Thomas en haussant exagérément son verre.

Encore un peu et la viande aurait perdu ses sucs essentiels, mais la cuisson a été arrêtée à temps, tout se fond et se rehausse avec spiritualité, le dense du foie gras, le suave de la moelle, l'énergie de la chair rouge mariée au porto.

— N'empêche que cela devient un problème, dit Jean-

Eudes. L'autre jour, un clochard a arraché la plaque d'immatriculation de la voiture de Lili.

— C'était ma faute, dit Lili, la bouche pleine.

— Bien entendu, soupire Jean-Eudes.

— Oui, dit Lili. J'étais pressée, je l'ai envoyé paître, au lieu de lui donner le vingt-cinq cents qu'il réclamait. Qu'est-ce que ç'aurait été, lui donner vingt-cinq cents ?…

— Cet automne, raconte Thomas, j'étais assis dans mon bureau, il était cinq heures du soir, lorsqu'un jeune cogne à la porte et entre. Tout à fait l'allure d'un élève de cégep, la mine basse et souffrante, très poli. Il me dit que sa mère est mourante, qu'il a besoin de vingt-cinq dollars pour se rendre immédiatement à son chevet, à Drummondville ou Trois-Rivières je ne me rappelle plus. Il est embarrassé, il n'a personne à qui emprunter, ses amis sont partis à l'extérieur de la ville, il me montre ses cartes d'identité, il dit qu'il va me rembourser le lundi suivant, ses yeux sont noisette clair et très francs. Je fouille mes poches, j'ai seulement deux billets : un deux dollars et un cinquante. Je lui donne le deux, je lui dis que c'est tout ce que j'ai, et en même temps, je me sens vraiment trou du cul, cheap à l'os.

— Avec raison, dit Lili.

— Le lundi, dit Thomas, j'ai appris que, depuis deux ans, il avait fait le coup à tous les professeurs du département.

— Nuançons, dit Jean-Eudes, ce n'était pas un clochard, c'était un voleur.

— C'était un clochard, dit Thomas, un jeune clochard. Ils utilisent des moyens plus sophistiqués pour soutirer de l'argent, c'est tout. Les clochards sont de plus en plus composés de jeunes, il ne faut pas se le cacher.

— Oui, dit Lili sans rire, ils recrutent beaucoup chez les jeunes, maintenant, et chez les femmes.

— Il y a une femme, une futée, dit Jean-Eudes, qui s'installe chaque année directement dans la caisse populaire, durant le temps des Fêtes. Elle quête à la sortie des guichets automatiques, quand les gens ont encore dans les mains leur portefeuille bourré de fric.

— Je ne peux pas résister à une femme qui quête, dit Lili. Même si c'est une poivrote, une toxico, et que je sais qu'elle me fourre à la planche.

Je dis qu'effectivement donner quelques dollars, c'est donner bien peu pour se libérer d'une partie de son sentiment de culpabilité.

— Quel sentiment de culpabilité? demande Thomas. Tu te sens coupable, toi, Claire?

Il ouvre la bouteille de Madrona, Lili allume son second joint.

— Claire pense qu'on est entièrement responsables de son destin, dit Thomas en me souriant. Elle pense que l'on devient ce que l'on a réellement choisi d'être. Les clochards choisissent d'être clochards, les professeurs d'enseigner à des skinheads qui leur disent de se relaxer le shaft, les journalistes d'écrire des papiers sur des sujets pourris comme Rhapsode et Céline Dion. N'est-ce pas, ma chérie, que c'est ce que tu penses?

Je proteste en débarrassant les assiettes vides qui encombrent la table, ce n'est pas si simple, je n'ai jamais prétendu qu'il n'y avait pas de hasard ni de malchance dans le sort qui nous est fait, mais il y a une part d'autonomie que l'on répugne à exercer et à…

— Elle a raison, interrompt Lili. On choisit forcément d'être les pauvres types qu'on est, il est bien plus facile de démissionner que de faire quelque chose. Les êtres humains sont en majeure partie des démissionnaires, et des comptables, et des fonctionnaires de la Ville.

— Merci, dit Jean-Eudes. Passe-moi ce joint, amour, au lieu de m'insulter.

— La dope ne te fait pas, dit Lili, tu le sais. Mais tiens, puisque tu veux être malade et tomber inconscient, c'est toi qui choisis, comme dit Claire.

Ils m'agacent, je leur dis en riant qu'ils m'agacent, et Lili se lève pour m'embrasser.

— On te taquine, dit-elle. On te taquine parce que tu as raison, et que tu as toujours raison, ce bœuf était à lui seul une preuve épouvantablement délicieuse de ta raison et de ta maîtrise de l'univers informe. Je veux lever mon verre encore une fois à Claire, Claire douée pour tout, et qui a tout parce qu'elle a consciemment choisi de tout avoir.

— À Claire qui a tout, dit Thomas, sauf un chum convenable.

Il rit et vient choquer son verre contre celui de Jean-Eudes, qui chancelle sous l'impact et échappe quelques gouttes rubis sur la nappe.

— Convenable, dit Lili. Voilà un mot que je n'ai pas entendu depuis ma petite enfance. Convenable, cela n'est pas convenable, ces gens ne sont pas convenables, qui a peur de Virginia Convenable Woolf?

— Tu débloques, amour, dit Jean-Eudes en se levant avec difficulté. Que diriez-vous si je m'asseyais un moment dans ce fauteuil? Il me semble que ce fauteuil me fait un signe.

— Michaël, dit Lili. Vous connaissez tous Michaël, n'est-ce pas?

— Non, dit Thomas.

— Mais oui, dit Lili. Michaël le clochard, celui qui se promène dans le quartier avec son chien noir et son tricycle déglingué, bourré de vieux trucs, il y a même un chat, parfois, dans sa roulotte à roulettes…

« Oui », je dis. Un petit homme à lunettes épaisses, qui tient en laisse un chien noir et patient, et qui marche au milieu de la rue en lançant « fucking bourgeois » à des adversaires invisibles.

— Je ne vois pas, dit Thomas.

— Il y a ceux qui le voient, dit Lili, et ceux qui ne le voient pas. Les touristes le voient. L'autre soir, rue Laurier, une Américaine tout excitée n'arrêtait pas de le photographier : « *Look at the guy, look at the guy, isn't he wonderful ?* »

— Ah oui, dit Thomas. Je sais de qui tu parles.

— Il est autrichien, dit Lili. Il peint, enfin il dit qu'il peint. Son chien s'appelle Cougar. L'hiver, il partage une chambre avec quelqu'un dans la petite H.L.M. en face de chez nous, mais l'été, il préfère coucher en plein air avec son barda, son chien et son tricycle, et se laver dans les toilettes de chez Van Houtte.

— Oui, fait la voix empâtée de Jean-Eudes émergeant de son fauteuil lointain. Le vieil ivrogne.

— Il ne boit pas, dit Lili.

— Allons donc, dit Jean-Eudes. C'est évident qu'il est toujours saoul.

— Il n'est pas saoul du tout, s'énerve Lili. D'ailleurs, il ne sent jamais l'alcool.

— Jamais ? dit Thomas, sardonique.

— Je le sais, dit Lili, je l'ai embrassé.

Jean-Eudes se redresse dans son fauteuil. Thomas a un rire inextinguible.

— Ne me regardez pas comme ça, dit Lili. Ça ne vous est jamais arrivé d'embrasser des inconnus ?

— Oui, dit Thomas, mais elles n'étaient pas en tricycle.

Il recommence à rire, il n'arrive plus à reprendre son souffle, ployé en deux. Lili lui adresse un sourire indulgent.

— Ce n'était pas désagréable, dit-elle. Et ça lui a fait tellement plaisir.

— Pourquoi tu l'as embrassé? dit Jean-Eudes.

— Je marchais sur le trottoir, avenue du Parc. Je l'entendais en arrière de moi, les roues de son véhicule bringuebalant, et lui marmonnant des choses incompréhensibles, des insultes.

« Fucking bourgeois », je dis.

— Et puis au feu rouge, on s'est trouvés à égalité, l'espace de deux corps entre nous. Il ne me regardait pas, il ne regarde jamais personne. C'est là que je me suis dit : ce type est un être humain, et c'est là que je lui ai adressé la parole.

Thomas ne rit plus. Nous sommes tous silencieux à écouter Lili, Lili si belle qui parle la tête un peu déjetée vers l'arrière, le regard ailleurs.

— Je lui ai parlé de son chien, je lui ai demandé pourquoi son chien n'était pas avec lui, s'il avait dû s'en défaire, et il a dit : « *Oh no! He's my friend, my old companion!* » Son chien était à l'intérieur bien au chaud, et la conversation était engagée, facile, franche, il répondait très directement à mes questions et il m'en posait à son tour, mon nom, ce que je faisais, où j'habitais, si j'étais bien chauffée au moins, si j'étais heureuse, oui, il m'a demandé si j'étais heureuse, et nous avons marché comme ça tout le long de l'avenue du Parc, puis nous avons obliqué rue Laurier, et le plus frappant, c'était sa dignité, il parlait de son « style de vie », il faisait très vieille Europe, civilités et politesse, ses vêtements sont propres et bien coupés, ils datent simplement un peu, et je me disais : c'est incroyable, incroyable le contraste entre l'image de loqueteux que nous avons de lui et celle-ci, soudain, convaincante, impériale, vieil artiste décadent ou clochard, au fond la frontière est bien mince, bien mince entre les deux.

— Mais enfin, dit Jean-Eudes, ce type est complètement taré, il parle tout seul sans arrêt quand même…

— Arrivés à la pharmacie, poursuit Lili sans tenir compte de l'intervention, nous nous sommes quittés, parce que j'avais des courses à faire et qu'il fallait bien finir par se quitter, et c'est là que je l'ai embrassé. Il a été étonné, je vois encore son visage, ses yeux qui s'allument, et alors j'ai senti sa misère, une telle faim d'amour s'est levée dans ses yeux, un tel manque, c'était un homme que j'avais tout à coup devant moi, un homme qui depuis si longtemps ne s'était pas senti homme devant une femme, il m'a touché le visage de ses doigts et il a gémi, j'entends encore sa voix grave et triste : « *Oh Lili, Lili.* »

Elle rallume le joint qui s'était éteint. Elle regarde en direction de Jean-Eudes.

— Sa langue était très douce, dit-elle.

Elle passe le joint à Thomas, puis à moi. Elle me sourit.

— Évidemment, comme c'est un homme, depuis ce temps il en veut encore, il en veut davantage, il attend presque chaque jour en face de chez moi, je suis obligée de me cacher lorsque je le vois venir dans la rue.

— Lili, soupire Jean-Eudes à voix basse.

(« Il attend toute la nuit devant chez elle, il ne comprend pas. Hier, elle l'aimait. Il se rappelle très bien comment sont les femmes qui aiment et c'est comme ça qu'elle était, hier elle l'aimait et aujourd'hui elle ne le regarde pas. Fucking bourgeois, dit-il à son chien. »)

Mes mains dérapent sur le pot de crème, la crème à la clémentine que j'ai cuisinée hier et qui est si longue à baratter et à prendre, et le pot tombe par terre. Ce n'est rien, je suis seule à m'en apercevoir, seule à rincer les assiettes, seule à fourrer de crème une à une les écorces vides de clémentine et à les remettre au congélateur. Dans une heure, elles seront prêtes à déguster avec des truffes au chocolat, mais où en serons-nous dans une heure, déjà Jean-Eudes s'est endormi dans le fauteuil, Lili et Thomas coude à coude boivent maintenant du porto. Ils ne jettent pas un regard sur le pont-l'évêque et le marcelline crémeux que je pose devant eux.

— La question est la suivante, dit Lili. À quel moment précis cela se produit-il? Quand glisse-t-on complètement dans le noir, quand la dernière étincelle d'orgueil s'éteint-elle tout à coup, nous laissant prêts à n'importe quoi, à marcher sale et saoul dans la rue en parlant tout seul et en se crissant des passants?... Quand?... Le sais-tu?

— Quand, dit Thomas, il n'y a pas de quand, c'est une accumulation, jour après jour, une suite de dégringolades, de petites pertes de dignité...

— Mais cela a bien commencé quelque part, dit Lili.

— Oui, dit Thomas. Oui, cela a commencé un jour.

Ils boivent. Ils ne veulent pas de salade de cresson à la mangue et à la vinaigrette au basilic. Cela tombe bien puisque je ne l'ai qu'à demi préparée.

— Je le sais, dit Lili. Cela commence quand on s'aperçoit qu'on est entourés de gens meilleurs que nous. C'est là que ça commence.

— Je ne sais pas, dit Thomas, peut-être.

— Il n'y a rien de pire que de se tenir avec des gens parfaits, qui te jettent sans arrêt au visage ton indignité. Il faut fuir alors, c'est une question de survie, fuir parmi des plus tarés, devenir au moins le meilleur, le pire des tarés. C'est la logique, c'est une question de survie.

— Oui, dit Thomas. Oui. Peut-être.

Les truffes, au moins. Même si les truffes ne trouvent pas preneur, elles seront là sur la table comme une conclusion heureuse, un rappel que la vie peut aussi être bonne et sucrée. Je me rends soudain compte que j'ai oublié les truffes dans le coffre de la voiture, les truffes chérissimes qui depuis des heures s'acheminent vers la congélation. Je me lève rapidement. Je leur dis que je sors. Je sors.

L'hiver est dehors, l'hiver tout ce temps continuait de vivre à notre insu, avec sa blancheur mortelle. L'air est pur comme il devait l'être avant la vie. En ce moment, il y a peut-être des hommes dehors, enveloppés dans le papier journal et les pelures de vêtements, qui lorgnent les fenêtres des maisons, les tropiques artificiels. Les truffes à la main, je ne m'avance pas en direction de la porte, je marche dans la neige pour sentir le froid m'agresser les pieds. En ce moment, il y a sans doute des hommes qui s'approchent ainsi des fenêtres, suffisamment pour bien voir de quoi ils sont exclus. Oh je souhaite que tous les hommes soient rentrés quelque part dans la chaleur, en ce moment je le souhaite si intensément.

Je m'approche de la fenêtre. Derrière la fenêtre, on voit Thomas et Lili. Derrière la fenêtre, Thomas et Lili s'embrassent. Ils sont calés étroitement l'un contre l'autre, ils n'arrêtent pas de s'embrasser. La scène est étonnante, la situation dramatique fabuleuse, des mots veulent se faufiler en moi pour forger une histoire plus réelle que la réalité, mais presque tout de suite arrive la douleur qui terrasse les mots, et les mots s'en vont, je n'ai plus de mots, je n'ai plus rien.

SANS DOMICILE FIXE

Je ne sais pas encore que, ce soir, je serai assis sur un banc du carré Saint-Louis, à côté d'un robineux qui puera sans que je m'en émeuve. D'ordinaire, les robineux et moi gardons des distances stratégiques. Nous connaissons par cœur les rôles qu'on a écrits pour nous : ils quêtent, je leur donne de l'argent. Là s'interrompt notre scène. La distribution ne nous a jamais confié d'autres rôles. Nous nous acquittons très bien de ceux-là.

Je ne sais pas que, ce soir, j'abandonnerai à un robineux la partie la moins monnayable de mon existence.

Pour le moment, je suis assis sur une chaise coussinée et le jour s'infiltre dans ce bureau qui est le mien, temporairement. Les objets sont temporaires, bien sûr, et les êtres. Mais c'est là une notion de pisse-vinaigre qui empoisonne le goût du vin et des bonnes choses. Mieux vaut croire que ce bureau prêté par l'université est définitivement le mien, comme est mienne cette section de la rue Saint-Denis que mon regard happe par la fenêtre, comme sont miens ces gens, toujours les mêmes, qui s'entassent dans les cubes vitrés de l'édifice d'en face.

Dans mon bureau, les murs sont presque nus. Sur l'un d'eux, cependant, il y a une photo représentant une fenêtre toscane, les volets à demi ouverts. Je sais que cette fenêtre est toscane parce que c'est moi qui l'ai photographiée, à Florence, dans une rue ensoleillée où je me trouvais par hasard, du temps où j'étais quelqu'un d'autre, quelqu'un d'ardent et de léger. En contre-plongée, le bois des persiennes se trouve traversé de courants roses, translucides, comme si la lumière venait de remettre au monde cette fenêtre, de lui dévoiler une âme crue et palpitante. Une silhouette se profile derrière les volets, immobile à l'orée de la lumière, perturbée par mon regard d'intrus sans doute, attendant que je m'éloigne pour recommencer à vivre, pour se pencher vers les giclements brillants de la rue. C'est peut-être un homme, peut-être une femme. Ce n'est peut-être ni l'un ni l'autre. On peut se perdre, dans cette photo, si l'on n'y prend pas garde. Les jours de grande fatigue ou de puissant espoir, la silhouette est une femme qui me sourit avec enjouement et la brûlure du soleil devient perceptible.

Je laisse toujours la porte de mon bureau entrouverte, plus par claustrophobie que par disponibilité. Avant, les étudiants y affluaient et larguaient devant moi leurs questions sans réponses. Maintenant, la méfiance est généralisée. Les étudiants viennent encore, mais il ne se crée plus de remous pour remonter à la source des choses. Ce n'est pas nécessairement leur faute, ni la mienne.

Quelqu'un frappe, en ce moment. Je reconnais le tambourinement feutré et la voix qui toussote par excès de discrétion. Il entre. Il s'assoit. Ce n'est pas un étudiant de ma classe. Celui-là est mon fils. On peut dire de lui, si l'on est honnête et objectif, que c'est un bon fils. Il me ressemble, en pire.

Chaque semaine, après ses cours d'économie, il vient s'asseoir quelques minutes dans mon bureau. Il a le sens du rite, depuis toujours, il sauvegarde les rites sans s'inquiéter des vides qui s'amoncellent dessous. Nous discutons avec mollesse d'actualités qui seront périmées dans trois jours. Nous fumons quelques-unes de mes cigarettes. Il dit des choses posées et raisonnables qui ont trait à sa vision du monde, de l'avenir. Les Faibles seront décimés, un jour, les Brillants siégeront à la droite du Pouvoir. Je sens son regard, tandis qu'il parle, je sens son regard qui inspecte avec tristesse une tache malencontreuse, un entortillement malséant du fil téléphonique, un graffiti inepte sur des papiers officiels. Mon fils est un jeune homme très propre. Quand il s'en va, au bout d'une heure, je suis anéanti par sa propreté et sa vieillesse.

Aujourd'hui, il s'attarde devant moi comme s'il cherchait une formule appropriée. Il finit par m'avouer qu'il viendra à la maison ce soir, « pour l'occasion ». Il rougit. Il n'aime pas les anniversaires, surtout ceux de ses proches. Il craint les débordements qui contraignent à entrer dans le cœur mou des autres. Il ne se sent bien qu'en périphérie, là où les émotions ne se rendent pas.

Mon fils était un petit garçon sauvage. Ce n'est pas moi qui l'ai dompté.

Je cherche les coupables, depuis longtemps. Je traque les photos d'avant, sur lesquelles il a trois, huit, quinze ans. Il jubile, entre sa mère et moi, dans une salopette très sale. Il fait de la course à bicyclette. Il nage. Il mange des arachides. Il caresse un chaton. Et tandis que son enfance passe, sur des clichés racornis, quelque chose se désagrège sur son visage, une lumière s'éteint, soudain il ne sourit plus du tout, il a un regard précocement cassé tandis que nous continuons de rire, sa mère et moi, comme des inconscients. Je ne connais rien de plus douloureux à regarder que ces photos. Il faut pourtant les mettre côte à côte pour établir le rapport et les causes, pour interroger ce qui s'est passé dans les blancs. L'agresseur est caché dans les blancs, entre les photos.

Mon fils a une façon particulière de ne pas s'informer de moi. Il feint de me poser des questions en y intégrant d'avance les réponses, toutes prêtes et défendables : « C'est vrai que tu n'as pas trop de travail en ce moment », « Je vois que tu t'es acheté une veste ». Il serait navrant de le contredire.

Peut-être souffre-t-il de ne pas m'aimer autant qu'il le souhaiterait. Peut-être s'astreint-il chaque semaine à venir s'asseoir ici, en forme d'expiation.

Il se lève, maintenant, la main tendue comme à un officiel. Dans quelques années, il aura ce même geste cérémonieux pour prendre congé de ses patrons ou de ses subalternes. Je garde un instant sa main dans la mienne pour sentir quelque chose, un prolongement. Sa main est froide et un peu moite.

Je pourrais travailler, maintenant. L'université me paie pour que j'investigue en dedans de moi-même et que j'en ramène des victuailles, neuves ou recyclées, dans lesquelles les étudiants becquetteront. C'est une entreprise nourricière qui devient de plus en plus hasardeuse : les aliments s'épuisent et surissent, la main du chef flageole en liant les ingrédients.

La voix d'un collègue me parvient du bureau mitoyen. J'aime entendre cette voix, immobile comme une chose, j'aime que cette voix m'envahisse quotidiennement pour me rappeler la stabilité du monde. Mon collègue a le même âge que moi, à peu de semaines près. Nous tentons d'enseigner la littérature, tous les deux, depuis près de vingt ans. La littérature se débat et continue de vivre entre nos théories stagnantes, nous n'avons pas encore trouvé le moyen de la clouer sur place. Même ceux qui sont morts n'en finissent plus de hurler dans leurs livres, et leurs cris deviennent assourdissants avec le temps qui passe. Émile Nelligan, Malcolm Lowry, Italo Calvino.

J'ai beaucoup aimé la littérature.

Maintenant, mon collègue s'indigne au téléphone, puis il rit, il rit très fort, pris tout entier par le charme de la dialectique. Nous jouons souvent tous les deux à nous indigner pour des causes qui en valent la peine, le Québec, la langue, le multiculturalisme menaçant, et cela nous apporte une sorte de répit heureux, un relent d'extrême jeunesse. La plupart du temps, notre indignation est factice, épuisée.

Lorsque mon collègue s'est attardé dans mon bureau la semaine dernière, pour une de nos discussions de parade, j'ai été saisi soudain par son visage comme par un masque loufoque, saisi par un détail dont l'impertinence m'a sur le coup fait rire. Le visage de mon collègue est envahi par une pilosité inquiétante. Les poils désertent peu à peu son crâne, mais se décuplent dans ses sourcils et émergent en broussaille de ses narines, de ses oreilles. La même cocasserie m'arrive. L'âge déplace les valeurs et les pilosités. Le ridicule ne nous tuera pas, mon collègue et moi, nous serons deux vieillards aux visages ravinés, ployant sous une végétation triomphante.

La porte est restée entrebâillée. Une main de femme s'y glisse, sans frapper. Je ne peux rien faire d'autre que regarder la propriétaire de cette main léviter victorieusement jusqu'à mon bureau. Elle s'assoit devant moi. La pièce se remplit de la chaleur crâneuse de ses vingt-deux ans. Nous nous connaissons. Elle a fréquenté un de mes cours et une zone terriblement obscure de mes pensées, déjà. Cette fille est plus vorace que belle, mais le résultat est le même. Il ne s'est rien passé entre nous, rien.

Je lui ai arraché ses vêtements tandis qu'elle me regardait avec une fixité consentante, je l'ai regardée fixement tandis qu'elle arrachait elle-même ses vêtements, elle s'est enroulée à moi comme un feu qui lèche et annihile, j'ai effleuré les lieux sacrés de son corps et des chants lui sourdaient de toutes les lèvres, le désir entre nous était un glaive qui donnait la vie, nous nous sommes pénétrés et ouverts jusqu'à la fissure ultime par où l'âme s'échappe, je n'ai jamais connu autant qu'avec elle l'abandon et le plaisir.

Tant de fois.

En pensée.

Elle se cale sur la chaise, elle fait semblant qu'elle y est parfaitement à l'aise. Elle me dit qu'elle sait que mon anniversaire est aujourd'hui, elle me dit de ne pas lui demander comment elle le sait. Elle sort de son sac un objet enveloppé dans du papier de soie, elle me le tend. Ses yeux disent des choses insupportablement audacieuses. J'essaie d'éviter ses yeux. L'objet est un livre, une édition illustrée des poèmes de Nelligan. Je ne lis pas ce qu'elle a écrit sur la page de garde, pas tout de suite.

La rondeur des commencements se tient encore dans ses joues, sur ses mains agitées par une vivacité perpétuelle, aux commissures de sa bouche qui ne sait rien de l'amertume. Elle n'est sortie de l'enfance qu'à peine et elle a en même temps une séduction millénaire, une façon de regarder les hommes comme des biens accessibles. Les jeunes femmes de ce temps sont des guerrières redoutables.

Il ne s'est rien passé, toutes ces fois où son regard m'a

signifié que nous étions seuls. Une fois, dans mon bureau, nos mains se sont touchées et j'ai rougi comme si elle était nue devant moi, et elle m'a regardé comme si elle souhaitait se trouver nue devant moi. La suite n'a continué de se passer que dans ma tête, là où on se fabrique des images pour éviter de les vivre.

Elle a écrit sur la page de garde : « Je vous invite chez moi entre cinq heures et sept heures, ou plus tard, ou cette nuit, ou quand vous préférerez. Bon anniversaire. »

Je n'ai jamais couché avec mes étudiantes. J'aimerais m'être abstenu tout ce temps par grandeur d'âme, par fidélité viscérale, par sublimation. J'aimerais ressembler à l'homme qu'elles voient en moi, ces jeunes femmes qui s'offrent et qui exigent, j'aimerais que cette solidité qui les émeut chez moi soit plus qu'un mirage.

Je lui dis que je n'irai pas. Ni ce soir, ni plus tard. Elle me laisse une dernière chance avant de partir, sa main qu'elle abandonne, désabusée, sur mon bureau et qu'il suffirait de toucher pour conjurer les regrets à venir. Bien sûr, je ne la touche pas.

Maintenant qu'elle est partie, je vois que le jour est en perte de vitesse, je sens que l'air est redevenu respirable. Il faut ranger ce livre loin dans la bibliothèque avec ceux qui sont lus, arracher peut-être la page de garde. Plein d'autres vies ont circulé comme ça entre mes allées et venues, j'ai toujours fait semblant de ne pas les voir, par terreur. Un jour il n'y aura plus d'inquiétude à avoir, plus d'alternative, un jour ma vie se présentera comme la seule possible.

Le téléphone va sonner dans quelques instants. Il est rassurant de connaître à l'avance certaines choses, de posséder un minimum de préhension de la réalité immédiate. Le soleil ce soir se couchera à cinq heures quarante-cinq. Ma femme me téléphonera dans quelques instants. La fenêtre toscane, au-dessus du téléphone, a été photographiée un jour de mai, dans un état d'inconcevable disponibilité, alors que je m'aventurais dans l'inconnu sans le moindre masque protecteur, si jeune et imbécile. Il ne me serait plus possible, maintenant, de la photographier.

Le téléphone sonne. La voix de ma femme au téléphone est d'une incroyable fraîcheur, comme un mensonge perpétuel. Nous avons évité de nous marier, ma femme et moi, pour échapper à l'engluement institutionnalisé. Voilà vingt-trois ans que nous ne sommes pas mariés. Je dis toujours « ma femme », parce que les mots pour décrire les rapports entre conjoints grisonnants n'abondent pas, même en français.

Il n'y a rien à déplorer au sujet de ma femme. Ma femme appartient à un tout qui me faisait frémir, il y a quelques années. Émoi, désir et rage, larmes de passions, levée de boucliers toutes causes confondues, Québec et Salvador, condition des pauvres et bien-être de ma bien-aimée. Frémir de jeunesse.

Ma femme a gardé la voix des élans d'origine, lorsque nous étions incandescents et amoureux et talonnés par une soif essentielle. Il est toujours étonnant d'entendre cette même voix commenter la hausse des taux d'intérêt.

Elle me parle de mon anniversaire comme d'une agacerie qui perturbe le lisse de sa journée. Que préfères-tu, manger au restaurant ou à la maison, seuls avec notre fils ou en équipée de groupe ?… Un manteau neuf te convient-il comme présent ?… À quelle heure penses-tu rentrer ?…

Nous aurions pu recommencer, tous les deux ailleurs ; les gens recommencent à aimer sans arrêt autour de nous. Tant d'énergie à s'étreindre et à se délaisser, à apprivoiser puis à se lasser de connaître. Une autre femme aurait eu des gestes différents pour se coiffer, des inflexions plus aiguës dans le rire, une façon de toucher plus caressante ou plus brutale, des ambitions obscures, démesurées, les cheveux roux, noirs, jaunes, crêpelés… Une autre femme ne serait plus nouvelle, dans quelque temps.

Ma femme dit que le premier ministre nous conduit droit au désastre économique. Ma femme dit qu'il a neigé à San Diego. C'est de tout cela que le calme est fait, de cet enchaînement de menues certitudes qui cimentent le chemin devant nous : autrement, comment marcher sans trébucher, comment ne pas être avalé par l'horizon ? Nous nous aidons, ma femme et moi, à ne pas basculer dans l'inconnu.

Je suis dehors, maintenant. Dehors, il fait déjà plus incertain. C'est la faute de cette foule anarchique, un éparpillement d'identités contradictoires qui déambulent sans harmonie, sans but commun. Des étudiants me saluent. Mais quelques pas plus loin je n'existe presque plus, la rue mange les universitaires et les mélange à n'importe qui, analphabètes et sans-abri.

Je monte la rue Saint-Denis avec une lenteur de cardiaque, ou de clochard. Il y a beaucoup de clochards, rue Saint-Denis. De robineux. De sans-abri. De sans domicile fixe. Les mots pour les nommer commencent à foisonner tant ils se font envahissants et ostensibles, nouvelle minorité visible gangrénant rapidement la métropole. Les robineux sont laids. Ils puent. Ils nous regardent dans les yeux comme si nous étions responsables de ce qui leur arrive.

L'un deux farfouille du pied près du parcomètre, en quête de monnaie tombée. Il va comme ça d'un parcomètre à l'autre sans se presser, comme un promeneur du dimanche, comme un impie s'adonnant mollement au chemin de croix. Les regards des passants décrivent une curieuse courbe ascendante en arrivant près de lui. Mais rien ne semble l'incommoder ; il est revenu de tout cela, de l'indifférence comme de la curiosité.

En passant près de lui, je laisse choir une pièce de vingt-cinq sous, comme par inadvertance. Il pose immédiatement son pied dessus. Je reste immobile plus loin, près d'un autre parcomètre, à l'observer. Le vingt-cinq sous a disparu dans sa poche. Il louvoie dans ma direction, en échappant des marmonnements souterrains. Lorsque je suis à portée de son regard, je laisse tomber de nouveau une pièce, avec une sorte d'emphase. Il la voit. Il me regarde. Ses yeux n'ont plus de coloration particulière, sauf aux endroits où le sang s'est ramassé. Je m'éloigne, je m'arrête au parcomètre suivant. Il n'existe pas de nom pour ce jeu que je viens d'inventer, pas de nom avouable.

Maintenant nous sommes immobiles chacun devant un parcomètre, aux aguets tandis que la horde en branle décrit des boucles vindicatives pour nous éviter. Les êtres stationnaires sont suspects. Je jette une pièce d'un dollar par terre, en le regardant dans les yeux. Il ne comprend pas. Il accepte de ne pas comprendre. Il ramasse la pièce en me fixant d'un œil hypnotisé. Il me suit ainsi de parcomètre en parcomètre, vieux Petit Poucet chambranlant sous l'effort et l'ahurissement. Nous montons lentement la rue Saint-Denis. Ce sont des billets de deux et de cinq dollars que je laisse choir, maintenant. Chaque fois que je me retourne, il se tient derrière moi à une distance respectueuse. Il me regarde. Personne ne m'a jamais regardé de cette façon, avec autant d'espoir.

Nous voilà près du carré Saint-Louis. J'oblique vers le

parc, je m'enfonce loin des belvédères, dans le bistre du soir. Je cherche un banc qui m'attendrait dans l'obscurité. Il n'y a d'obscurité nulle part.

Je m'assois. Il reste debout, légèrement en retrait, il se balance d'une jambe à l'autre pour répartir équitablement la fatigue. Il attend la suite, désarçonné et patient, il souhaite qu'il y ait une suite. Son visage est tendu vers moi, allumé par le désir. En ce moment, je donnerais n'importe quoi pour que quelque chose ou quelqu'un détienne un peu de ce pouvoir sur moi, pouvoir d'allumer les vieux désirs extravagants scellés sous le plâtre. En ce moment, ma femme et mon fils débouchent une bouteille de Bruno Paillard et ne s'inquiètent pas encore.

Il s'assoit au bout du banc. C'est un robineux ordinaire, gaspillé par l'alcool. Âge indéterminé, vie de toute façon crépusculaire. Je lui remets le contenu de mon portefeuille, le peu qui reste. Je lui donne le portefeuille lui-même, les clés de ma voiture, ma montre, ma serviette, ma cravate de cuir, mes gants fourrés d'agneau, mon alliance. Il s'empare de tout au fur et à mesure avec une frénésie silencieuse, paniqué à l'idée que ma folie puisse s'interrompre subitement, avant qu'il en ait tiré le maximum.

Je lui donnerais davantage, je lui donnerais tout ce que je suis et ce qui pèse sur moi si ces choses-là pouvaient se déplanter. En ce moment, ma femme et mon fils sirotent du Bruno Paillard et consultent leur montre.

Je lui demande à boire. Il me tend une flasque de gin, il m'appelle son frère. Nous trinquons. Nous restons longtemps côte à côte, apprivoisés, à comparer nos blessures. Il rit, je ris avec lui, puis je pleure et il pleure avec moi. Frère.

C'est en levant les yeux que je vois la fenêtre. Il s'agit d'une fenêtre lambrissée, à motifs toscans, dont les volets sont à demi ouverts et qui me regarde en pleine face, tel un souvenir vigoureux. La lumière de la rue Laval effleure les persiennes et les traverse de courants roses, translucides. Et exactement comme sur ma photo florentine, une silhouette se profile derrière les volets, immobile à l'orée de la lumière. La silhouette s'anime, se penche à l'extérieur de la fenêtre, vers la rue. Je me lève, je reconnais Émile Nelligan dans sa chemise à col d'un autre âge. Il me dévisage avec pitié et semble me crier quelque chose, mais quoi?... Quoi?...

BLANC

Je n'ai guère fermé l'œil, Mister Murphy, depuis notre première rencontre. Une surexcitation terriblement éloignée du recueillement que vous devriez m'inspirer s'empare de moi aussitôt que je quitte votre chambre. Quand je parviens à m'assoupir, je rêve que des hommes que je ne connais pas me perforent de leurs phallus infatigables sans rien assouvir en moi, me laissent avec des bouillonnements de volcan empêché d'expulser ses laves. Je ne suis pas bonne, Mister Murphy. J'ai envie de vivre comme un animal même si je vous vois mourir.

Je regrette de n'avoir que cela à vous offrir, un magma d'appétits tyranniques et de fièvres, je regrette d'être celle sur laquelle vous appuierez vos derniers instants. Je n'ai pas toujours été ainsi, il aurait fallu me connaître avant, des années avant que je laisse Montréal et que je le réintègre, les valises pleines d'une frénésie épouvantée.

Montréal a changé, c'est la faute de Montréal. Deux années d'absence, seulement, et voilà que j'ai perdu mes repères, voilà que je cours le mufle à terre et les sens en alerte, telle une chienne désorientée à la recherche de ses anciennes odeurs. Deux années seulement, et voilà que je ne trouve plus ma jeunesse machinale dans les miroirs qui me dévisagent. Montréal était familial, Montréal était un bouge sympathique et rassurant d'où nulle crainte ne pouvait sourdre, sauf celle de l'assimilation anglaise, Montréal n'avait que de vieilles chicanes de clôtures à ressasser, et je détestais cela, Mister Murphy, et j'aimais détester cela et me languir d'autres métropoles plus fertiles en stimuli guerriers. Depuis le référendum, peut-être, où vous-même, alors debout et pétaradant de santé, avez selon toute vraisemblance voté contre l'avènement du fait français en Amérique, depuis l'issue du référendum, peut-être Montréal a-t-il subtilement perdu sa provincialité défensive en même temps que sa cause, et revêtu peu à peu à mon insu la peau coriace des vraies villes, celles où il faut apprendre à devenir quelqu'un tout seul, sans soutien patriotique.

Le Montréal d'avant me gardait en enfance, je cours et je drague et je bois trop depuis mon retour, je cherche le Montréal d'avant dont la confortable exiguïté me déprimait alors tant.

Je ne reconnais plus mes amis. Plusieurs parmi eux sont devenus bouddhistes. C'est à cause d'eux si je m'assois toutes ces heures à vos côtés, à encaisser maladroitement vos frissons de détresse, c'est à cause des livres qu'ils ont nonchalamment semés sur mon chemin, me sachant vulnérable depuis toujours aux mots qui font parler le silence.

Nous ne durons pas, Mister Murphy.

Voilà ce que dit le silence, aussitôt qu'on lui laisse un interstice au milieu des vacarmes.

Nous ne durons pas, nous, notre nous si blond si brun si aimable et combatif, qui fait l'amour et le bœuf Wellington avec la même ferveur, qui s'endort tous les soirs merveilleusement convaincu de se réveiller, notre nous chéri, notre trésor à l'abri dans son intimité frémissante et ses émotions si vivantes.

Quelle mauvaise surprise, Mister Murphy.

Nous aurions dû écouter le silence plus souvent.

Même ici, même pénétrée de cette vérité implacable, même

auprès de vous comme à une répétition générale dans les vapeurs d'effroi que vous exhalez et que je ressens viscéralement, une partie de moi veut demeurer sourde et ignorante, une immense partie de moi se rebiffe et se dit que pas elle, vous et tous les autres peut-être, mais pas elle.

J'aime l'honnêteté, Mister Murphy, j'écris des livres et les livres qui mentent ne valent pas le papier qui les imprime, je suis auprès de vous pour anéantir cette partie de moi obtuse qui s'affole devant l'honnêteté et nie la vérité toute nue.

Vous n'avez pas idée du dédale dans lequel je me suis enfoncée pour parvenir jusqu'à vous. Il m'a fallu accepter d'entrouvrir une à une les portes de ce Livre tibétain de la vie et de la mort, dont le parcours rend intranquille à jamais, et derrière chacune de ces portes vous m'attendiez sans le savoir. Il est dit dans ce livre effrayant qu'il n'y a pas de générosité plus grande que d'accompagner un être humain dans sa mort, au moment précisément où les vivants ne le considèrent plus comme un des leurs et l'abandonnent à son infamie personnelle. Mais je ne suis pas généreuse. Si je suis ici, c'est parce que j'ai besoin de vous bien plus que vous avez besoin de moi.

Je me suis faufilée sur les listes d'attente de bénévoles, dans ces lieux où l'on donne des soins palliatifs, des soins qui ne soignent pas parce qu'il n'y a plus de santé à soigner. J'ai pris garde de ne pas sembler exaltée, car l'exaltation effraie bien plus que la tiédeur, je n'ai pas joué les mystiques de peur de ne pas connaître les bonnes répliques, mais je me suis montrée si calmement insistante qu'ils m'ont inscrite à un stage, en compagnie de vingt-cinq candidats à la bonté aussi suspects que moi, et nous avons écouté pendant des heures intolérables des gériatres, des psychiatres et des guides spirituels nous conseiller sur la meilleure façon de ne pas vous nuire.

J'ai honte, Mister Murphy. J'ai honte d'avoir pensé qu'il

serait facile d'assister à votre mort comme à un spectacle édifiant, j'ai honte d'avoir cru que vous pourriez demeurer jusqu'à la fin anonyme.

Je m'étais préparée aux visions les plus désolantes et, en entrant dans votre chambre la première fois, j'ai eu un choc. Vous étiez étendu dans votre lit, bien sûr, le teint presque transparent à force d'être pâle, et vous avez tourné votre regard très bleu dans ma direction lorsque je me suis présentée, « oh, a french chick », avez-vous murmuré de votre voix sardonique, et j'ai vu que vous n'étiez même pas vieux, même pas vieux et même pas agonisant, à peine plus mourant que moi lorsque je relève d'une grippe ou d'une nuit trop arrosée, et j'ai compris soudain que c'est un vivant qu'il fallait que j'accompagne dans ce terrifiant périple, pas une carcasse inanimée et crachotante, pas un masque d'outre-tombe à l'humanité hypothétique, mais un aussi vivant que moi.

Nous nous sommes rapidement touché la main, et vous avez décelé le trouble dans mes yeux en même temps que je voyais s'allumer quelque chose de déconcerté et de joyeux dans les vôtres. Vous non plus, Mister Murphy, ne vous attendiez pas à moi. Les infirmières m'avaient parlé de votre misanthropie hargneuse, de la colère avec laquelle vous receviez les gestes de réconfort et les tentatives de contact. Je n'étais pas comme votre exaspération l'appréhendait et l'espérait, j'aurais dû ressembler davantage à l'image grave que l'on se fait de la charité, en vêtements sobres et en intériorité pieuse. Mais j'étais ce soir-là comme je le suis depuis des mois, ravagée par des désirs d'explosion frivole, et je ne porte jamais de vêtements sobres, qui éteignent le corps au lieu de le laisser irradier.

Nous avons été aussi désarmés l'un que l'autre, Mister Murphy, parce qu'au lieu de lorgner avec courage le pays sacré de la mort, nous étions tous les deux résolument accrochés à ce côté-ci de la vie — bien piètre équipe, à vrai dire, pour affronter ce qui s'en venait.

Cette nuit-là, pendant que vous arrachiez à l'obscurité des bribes de sommeil sans repos, j'ai sillonné Montréal dans un état d'incandescence épouvantable, mais c'était un lundi terne et déserté et je ne trouvais personne pour brûler avec moi, et j'ai fini par téléphoner à un homme de qui j'avais déjà été amoureuse, longtemps auparavant, et qui s'est trouvé miraculeusement libre, ou assez véloce menteur pour inventer une raison de léviter de son lit conjugal jusqu'au mien.

Il est parti le plus tôt possible, à la fin de la nuit. Cet homme-là avait très peu changé, contrairement à mes amis anciens, son corps et sa manière fiévreuse d'exprimer la passion sexuelle étaient suffisamment les mêmes pour me replonger quelques milliers de jours auparavant, mais je n'ai pas trouvé cela rassurant. Ni la stagnation des immobiles ni l'avancée de ceux qui changent ne savent plus me rassurer, il n'y a de sécurité nulle part, nulle part.

Le lendemain, nous avons parlé d'amour, Mister Murphy. Vous aviez troqué votre jaquette d'hôpital contre un pyjama de soie pourpre, en mon honneur sans doute. Vous vous êtes essayé à quelques mots de français, ce dialecte de perdants que vous n'avez jamais voulu maîtriser même en vivant à Montréal, mais cela vous a vite épuisé. Et bientôt, les mots de n'importe quelle langue vous ont paru insuffisants, et vous m'avez montré des photos.

C'était une des seules choses que vous gardiez de votre vie, une centaine de photos méthodiquement ordonnées dans une enveloppe, et pendant que je les parcourais, vous avez observé mes réactions avec ce filet de défi que vous mettiez alors dans tous vos rictus, mais je n'ai montré aucune réaction, j'ai effeuillé cette centaine de clichés de femmes aux beaux visages pétillants *comme s'il s'agissait d'une rubrique annonçant des choses à vendre ou à louer parmi lesquelles je pourrais dénicher une aubaine. Je vous cherchais, sur ces photos de femmes toutes seules et toutes différentes, habillées pudiquement mais dévoilées là où ça compte, toutes nues dans leur regard à la supplication vaillante, leur regard d'amoureuse non aimée. Et je vous ai trouvé, finalement, à peine plus jeune que maintenant, souriant, très beau et gaillard, accompagné non pas d'une femme, mais d'un cheval que vous teniez par la bride.*

Je savais que vous étiez un collectionneur, Mister Murphy, je le savais aussitôt que je suis entrée dans votre chambre et peut-être même auparavant, dans cet étang d'inconscience qui imbibe tous nos gestes, j'ai toujours été attirée par les collectionneurs de femmes comme par un trou noir anéantissant et j'attends toujours d'eux qu'ils interrompent pour moi ce qui m'a attiré en eux. Nous sommes des affamés de deux espèces inconciliables, et les affamés sont bien entendu condamnés à chevaucher parallèlement, pour employer une métaphore chevaline qui vous sied, Mister Murphy, condamnés dans leur quête insensée à semer tout le monde en cours de route et à ne parvenir qu'à être seuls, là où ils s'attendaient si fort à être accompagnés.

C'est de cela que nous avons parlé.

Vous m'avez donné les photos en me demandant de les détruire, et ce geste de confiance m'a appris que nous avions hélas cessé d'être des étrangers, et je vous ai demandé si je pouvais garder celle de vous avec le cheval, celle où vous affichez vos véritables préférences sexuelles. Vous avez ri, et c'est la seule fois que j'ai entendu votre rire.

Pendant quelques jours, j'ai pénétré dans votre chambre comme on va au café, aiguillonnée par la certitude d'y retrouver la densité de la vie et la nicotine des conversations, mais nos conversations à nous étaient d'une eau inestimable, Mister

Murphy, drues, sans filtre, dépouillées de toute forme de préliminaires, et elles tombaient dans mon esprit comme des roches volcaniques qui ont brûlé leurs scories inutiles et y demeuraient, à faire interminablement des ronds. Je vous ai confié que je m'étais enfuie à la mort de ma mère, puis à celle de mon père, enfuie lâchement les deux fois en refusant leurs yeux désespérés et leur agonie puante, et vous m'avez dit vos lâchetés à vous aussi qui n'étaient pas moindres que les miennes et qui tournaient toutes autour des femmes. Quels étranges rendez-vous, Mister Murphy, « what a strange blind date », soupiriez-vous en m'enveloppant de votre regard très bleu, car nous ne parlions pas toujours, souvent nous nous tenions la main avec une chaleur si sensuelle que vous faisiez partie de mes rêves après, oui, vous étiez parmi ces amants oniriques surexcitant mes nuits sans parvenir à me satisfaire.

J'en étais absurdement venue à oublier la raison de ma présence auprès de vous et vous-même, à mon contact, brilliez de cet éclat trompeur qu'ont les supernovæ avant d'exploser, mais le septième jour, quand je suis entrée dans votre chambre, je ne vous ai pas retrouvé, vous aviez tout à coup sombré dans un quasi-coma et commencé à perdre votre corps.

J'ai ressenti cela comme une trahison profonde, je vous en ai tellement voulu de me laisser en plan après m'avoir bernée d'illusions, misérable lâcheur bloke macho pétri d'égoïsme, que je vous ai injurié, je crois bien, et que je suis partie une colère glaciale dans le cœur, jusqu'à l'ascenseur où m'ont rejointe sans crier gare les visages blancs de mon père et de ma mère, leurs fantômes de visages revenus exprès de l'inexistence pour m'arrêter dans mes abandons irréparables.

Je suis retournée dans votre chambre, Mister Murphy, et je me suis assise pendant que vous vous désagrégiez lentement.

Tout cela ne tient donc qu'à un fil, la beauté, l'ordonnance harmonieuse de nos visages et de nos corps que nous offrons aux autres comme des bouquets d'éternité, tant de soins et de maquillages pour un masque si précaire. Je vous regarde, mais je ne suis pas toujours capable de vous regarder, et je vous quitte encore, de moins en moins longtemps chaque fois, pour soulager mes accès de fièvre dans des promenades rapides rue Saint-Denis ou Sainte-Catherine, pour boire de l'alcool et me perdre un instant dans une fusion galvanisante avec un corps vivant et chaud. Mes désirs sont de ceux qui doivent se consumer pour disparaître, et je les consume un à un, et je vous reviens plus détachée chaque fois, je vous jure, un peu plus forte chaque fois pour soutenir votre propre détachement.

Hier, vous vous êtes réveillé brusquement et vous m'avez demandé avec un tel effroi que le cœur m'a manqué : « Where am I going ? »

Il n'y a pas de dieu dans votre mythologie personnelle, pas de paradis prévu à la fin de vos jours, mais quelque chose en vous se languit de continuer et sans doute quelque chose en nous continue-t-il, Mister Murphy, comment le savoir précisément avant d'être mort et investi du savoir des morts, laissons continuer ce qui le peut et laissons s'endormir le reste, c'est ce que je vous ai dit avec une légèreté qui ne me ressemble pas, surgie comme une inspiration de votre frayeur même, et c'est ce qu'il convenait de vous dire, sans doute, puisqu'une flamme ironique est apparue dans le bleu affadi de vos yeux, une flamme de légèreté chez vous aussi. Oui, la légèreté est votre meilleure monture, la plus susceptible de vous emporter sans heurt où il faut aller, c'est la légèreté qui nous manque le plus dans cette vie de plomb où nous n'apprenons qu'à peupler de nos anxiétés l'univers merveilleux, merveilleusement vide.

Maintenant il neige, une neige que vous ne pouvez plus voir parce que vous êtes retombé dans votre dissolution inexorable, et je tremble de froid à votre chevet, harcelée par la peur de l'inconnu et le chagrin. Je ne pleure pas, car aucune entrave ne doit obstruer votre passage vers l'espace, mais je vous lis ces lignes à voix très basse, en manière de prière pour vous et de berceuse pour moi. Tout à l'heure, quand vous vous échapperez complètement de votre gangue devenue si encombrante, quand vous ne serez plus ni anglophone ni montréalais ni homme, mais essence volatile affranchie de l'obscurité, je me sentirai un instant moi aussi comme un espace vierge, John, je serai comme vous une page blanche sur laquelle rien n'est encore écrit.

L'édification de ces Aurores montréales s'étant patiemment échelonnée sur des années, j'ai semé quelques-uns de mes textes en cours de route, notamment dans la revue XYZ avec laquelle j'entretiens des rapports privilégiés (« Le passage », « Gris et blanc », « Les transports en commun », « Le futile et l'essentiel », « Tenue de ville », « Leçon d'histoire », « Sans domicile fixe »). « La classe laborieuse » a paru dans la revue Stop, « Les femmes sont plus fines que les hommes » dans Voix et Images, « Le passage » a été publié dans le recueil collectif Des nouvelles du Québec (Valmont éditeur), « Léa et Paul, par exemple » dans le recueil collectif Aimer (Les Quinze). Deux nouvelles ont franchi l'océan pour rejoindre l'une la Suisse (« Gris et blanc », dans le magazine culturel de L'Impartial, mars 1991), l'autre la France (« Madame Bovary », dans Le Serpent à plumes, printemps 1994), et « Gris et blanc » est semble-t-il traduit en chinois — quoiqu'on ne m'en ait jamais fourni la preuve. Pour des fins d'adaptation cinématographique, j'ai personnellement malmené « Léa et Paul, par exemple » et « Le futile et l'essentiel », qui sont respectivement devenus les films À la vie, à l'amour (réalisé par Bruno Carrière, Acpav 1989) et Le Futile et l'Essentiel (réalisé par Jean Bourbonnais, TVOntario 1991). Malgré tout, pour le bénéfice du lecteur que cette dispersion effaroucherait, je tiens à souligner que ce livre est, et a toujours été, la destination première des textes qui le composent.

M. P.

TABLE DES MATIÈRES

CRÉDITS ET REMERCIEMENTS

Les Éditions du Boréal reconnaissent l'aide financière du gouvernement du Canada par l'entremise du Fonds du livre du Canada (FLC) pour leurs activités d'édition et remercient le Conseil des arts du Canada pour son soutien financier.

Les Éditions du Boréal sont inscrites au Programme d'aide aux entreprises du livre et de l'édition spécialisée de la SODEC et bénéficient du programme de crédit d'impôt pour l'édition de livres du gouvernement du Québec.

Photo de la couverture : Jean-François Leblanc © Agence Stock

MISE EN PAGES ET TYPOGRAPHIE :
LES ÉDITIONS DU BORÉAL

CE VINGT-TROISIÈME TIRAGE A ÉTÉ ACHEVÉ D'IMPRIMER EN MAI 2021
SUR LES PRESSES DE L'IMPRIMERIE HLN
À SHERBROOKE (QUÉBEC).